29 chapitres pour bien parler en public et parler avec confiance

Jensen Cox

Published by Jensen, 2023.

29 CHAPITRES POUR BIEN PARLER EN PUBLIC ET PARLER AVEC CONFIANCE

First edition. June 21, 2023.

ISBN: 979-8223770138

Written by Jensen Cox.

Table des Matières

INTRODUCTION 1

1 3

3 10

4 15

5 20

6 24

7 27

8 30

9 34

10 39

11 43

13 52

14 56

15 60

16 64

17 68

18 72

19 76

20 80

21 86

22 90

23 95

24 100

25 104

26 108

27 113

28 118

29 121

INTRODUCTION

J'ai écrit chaque chapitre en supposant que vous disposiez de moins d'une demi-heure pour préparer une présentation. Que faire en si peu de temps ? Où commencer? Que faut-il prendre en compte pour profiter au maximum de chaque minute ? Comment éviter le désespoir si courant dans ces situations ? Les réponses sont toutes ici, écrites sans ambages et de manière très pratique.

Vingt-neuf minutes ou moins vous suffira d'apprendre à rédiger une bonne présentation avec un début, un milieu et une fin et de décider d'utiliser ou non l'humour et la présence d'esprit. Vous saurez vous positionner avec élégance et gesticuler harmonieusement devant un public. Vous serez prêt à adapter le vocabulaire à chaque type d'auditeur et à trouver le débit de parole idéal et le volume de voix approprié à chaque environnement. Vous saurez choisir la technique la plus pratique selon les circonstances, toujours cohérente avec votre style de communication.

Nous avons rassemblé ici tout ce dont vous avez besoin pour résoudre les problèmes les plus complexes dans l'art de parler en public, en particulier dans les situations où vous êtes pressé.

Vous verrez que certains concepts - tels que le naturel, l'émotion, le contenu, la voix, le vocabulaire, l'expression corporelle et la planification – sont si importantes qu'elles sont répétées plusieurs fois dans différents chapitres, selon le contexte abordé.

Vous ne partirez pas de zéro. Dans chaque orientation, nous vous aiderons à mettre à profit les connaissances acquises tout au long de votre vie. Tu sais parler, n'est-ce pas ? Alors! Ce qui vous manque peut-être, c'est d'utiliser correctement la communication que vous avez développée avec le passage des années. Ainsi, dans plusieurs chapitres, vous aurez probablement l'impression que les suggestions que nous donnons vous sont déjà connues. Et ils sont. Le fait qu'il n'y ait rien de si nouveau dans cet apprentissage est un avantage exceptionnel. Cela vous évitera des efforts inutiles et vous permettra de sauter des étapes qui prendraient du temps, ce qui est très important pour ceux qui sont sur le point d'affronter le public et qui ont besoin bien accomplir cette tâche.

Vous n'aurez pas besoin d'étudier : vous n'aurez pas à vous soucier de mémoriser des règles ou des concepts théoriques. Il suffit de lire, de comprendre et de mettre en pratique. Le tout très simple, rapide, sans complexité ni complication. Et, si vous avez plus de temps à consacrer à cet apprentissage, ce que vous ferez certainement, l'assimilation n'en sera que plus confortable et sereine.

Par conséquent, vous il y a au moins trois façons de lire ce livre. La première, qui ne prend que 29 minutes, consiste à aller directement à la fin de chaque chapitre à la rubrique "A lire en moins d'une minute", où vous trouverez un résumé de ce qui y a été traité. La seconde est de revenir au résumé et de choisir les sujets qui vous intéressent le plus en ce moment. Par exemple, vous n'avez peut-être pas besoin d'utiliser des ressources audiovisuelles dans votre présentation, ni améliorer les techniques de conversation à l'intérieur d'un ascenseur. Alors, n'hésitez pas à choisir les chapitres vraiment essentiels pour le peu de temps dont vous disposez maintenant et à sauter le reste. Plus tard, après avoir traité vos demandes de communication les plus urgentes, vous pourrez vous consacrer à la troisième voie, qui est une lecture plus détaillée et complète.

Eh bien, puisque vous avez peu de temps pour apprendre tout ce qui vous attend, retroussez vos manches et mettez-vous au travail. Bonne lecture!

1

VOUS POUVEZ APPRENDRE A BIEN PARLER EN PEU DE TEMPS

PROFITEZ DES 29 MINUTES – Si vous manquez de temps pour parler, passez directement au dernier paragraphe de ce chapitre. Si le temps est encore plus serré, il suffit de lire le résumé du texte dans "A lire en moins d'une minute". Puis, avec plus de temps et de calme, lire tout le texte.

Je me souviens d'une conférence à laquelle j'ai assisté, il y a plus de 30 ans, encore au début de mes activités de professeur d'oratoire. L'orateur a catégoriquement révélé que personne ne pouvait être capable d'enseigner la prise de parole en public en peu de temps. Expliqué, dans des détails "irréfutables", pourquoi il faudrait des mois pour apprendre à parler en public en toute sécurité et dédouanement.

J'ai prêté une attention particulière à ses paroles et j'ai quitté cette conférence satisfaite. J'en ai conclu que cette information à elle seule valait mon voyage à l'événement. En examinant chaque élément des explications, j'ai senti qu'il avait raison. Après tout, comment quelqu'un peut-il enseigner les techniques de communication et faire en sorte que l'élève les pratique toutes et, immédiatement, reparte prêt à affronter le public ?

plus de trois des décennies plus tard, je peux dire en toute sécurité que l'orateur avait tort. Il est possible, oui, d'apprendre à bien parler en public en peu de temps. La plupart des plus de 50 000 étudiants que j'ai formés dans mon cours ont suivi des cours individuels. Ils ont rapidement appris à s'exprimer correctement et avec confiance en public.

Il ne serait pas possible d'apprendre à quelqu'un à parler en public en un clin d'œil des doigts s'il devait imposer des techniques toutes faites et standardisées. Même si la personne apprenait de cette façon, elle se rendrait vite compte que, pour les utiliser, elle ne ferait qu'interpréter un personnage, jouer un rôle, et, par conséquent, les abandonnerait et recommencerait à agir comme avant d'apprendre.

Pour être apprise en peu de temps et de façon pérenne, la technique doit appartenir à l'individu. Fort de ma longue expérience, je peux s'assurer qu'après le relâchement de la personne, il est possible d'observer, en quelques minutes de conversation, le rythme de son discours, le type de vocabulaire qu'il utilise pour construire ses phrases, sa gestuelle et la façon dont il organise son raisonnement.

Après cette évaluation, je sais comment l'élève se comporte spontanément au quotidien et ce qu'il peut produire dans des situations plus formelles. De ce constat, le travail consiste simplement à transporter sur la plate-forme ce que la personne sait déjà faire. En très peu de temps, elle parvient donc à reproduire devant le micro ce qu'elle fait lorsqu'elle parle naturellement avec ses amis et sa famille.

Vous verrez dans les prochains chapitres qu'il est également important d'apprendre à adapter le volume de la voix à l'environnement, à adapter à la fois le vocabulaire – compte tenu de la circonstance et du type en tant qu'auditeur - en termes d'expression corporelle pour harmoniser l'ensemble de la communication et organiser les pensées pour avoir un raisonnement logique, avec un début, un milieu et une fin.

Ces détails peuvent cependant être développés rapidement et perfectionnés plus tard avec la pratique, lors de la présentation de projets et de propositions ou même lors de conférences et de conférences. Faites donc attention à votre communication et apprendre comment elle se développe dans les conversations quotidiennes pour agir de la même manière lorsque l'on parle devant un public.

C'est la voie à suivre pour améliorer rapidement votre communication en public : essayez de parler devant le public comme si vous aviez une conversation animée avec des personnes à proximité dans votre salon. Comprenez ce que vous ne devriez pas faire rien de différent de ce que vous savez déjà : soyez simplement vous-même.

A LIRE EN MOINS D'UNE MINUTE

- Vous savez déjà parler. Apprenez à connaître votre propre communication. Utilisez le même vocabulaire, le même rythme de parole et les mêmes gestes que vous utilisez dans votre vie de tous les jours devant le public.

- Parlez en public comme si vous parliez à la maison avec un groupe d'amis ou en famille.

- parler en public c'est une conversation, seulement un peu plus animée . Par conséquent, parlez en public comme si vous participiez avec enthousiasme à une conversation.

- Adapter le volume de la voix à l'environnement et utiliser le vocabulaire selon le formalisme de la circonstance et les caractéristiques des auditeurs.

- Investissez dans la communication. C'est l'une des compétences les plus appréciées dans les relations sociales. et dans la vie de l'entreprise. Il est possible de perfectionner en peu de temps sa propre façon de s'exprimer.

2

Préparez-vous en moins de 29 minutes

Et si vous n'aviez même pas 29 minutes pour vous préparer ? Imaginez qu'à la dernière minute, vous deviez parler en public et que vous ne sachiez pas par où commencer. Voici une feuille de route simple et rapide en trois étapes pour structurer une bonne présentation en quelques minutes seulement. Si vous avez besoin de vous préparer encore plus rapidement, passez directement au résumé à la fin du texte. Ensuite, vous aurez le temps de tout lire calmement.

1 – CONNAÎTRE LE THÈME ET LA RAISON DE L'ÉVÉNEMENT. Identifiez clairement le but de l'événement et le sujet qui sera abordé. Réfléchissez aux raisons qui ont amené les gens à cette réunion et assurez-vous de connaître le sujet principal à aborder.

2 – DÉCOUVREZ LES PROBLÈMES ET LES SOLUTIONS PROPOSÉES. Les présentations sont presque toujours faites pour proposer des solutions à certains problèmes. C'est la base d'une présentation. Si telle est la situation, alors tout devrait tourner autour des problèmes et des solutions. Si, éventuellement, l'objectif est de discuter de quelque chose de nouveau, analysez l'histoire du sujet jusqu'à ce que vous arriviez au moment présent. En répondant À ces deux points, votre présentation sera prête.

3 – ÉTABLISSEZ L'ORDRE DE VOTRE PRÉSENTATION. Votre présentation est prête, il ne manque que les détails. Et l'un des plus importants est de connaître la suite logique de l'exposition. Allons vers elle :

A - Saluez les auditeurs. En général, utilisez « mesdames et messieurs » dans des circonstances plus formelles et « bonjour tout le monde » ou « bonjour/bon après-midi/ bonsoir ». nuit à tous » dans les situations les plus informelles.

B – Faire l'introduction. Rien de compliqué. Commencez par les remercier de les avoir invités à faire la présentation et expliquez comment le public peut en tirer profit. Faire des commentaires simples sur l'événement. Il peut s'agir d'une référence à une réunion précédente, aux plans qu'ils ont élaborés lors de la dernière réunion ou à un point relatif au public ou à un auditeur important. Si vous avez une histoire "dans votre manche" qui peut être associée à l'occasion, utilisez-la.

C - Exposez le sujet. En une ou deux phrases, décrivez le sujet qui sera développé. Cette tâche sera simple, car avant de commencer à parler, vous avez déjà réfléchi à cet aspect de la présentation.

D – Révéler le problème. Révélez aux auditeurs le problème auquel vous avez l'intention de proposer des solutions.

ET - Présentez la solution. Après avoir clarifié le problème, il est temps de présenter la solution. Rappelez-vous que si vous avez fait une histoire, maintenant vous allez parler du présent. Des arguments tels que les statistiques, la recherche et les exemples s'inscrivent ici.

F- Raconter une histoire. Ce n'est pas une obligation, mais une bonne histoire liée au sujet, en plus de servir d'illustration et de faciliter la compréhension des auditeurs, renforce l'argument et rend la présentation plus légère et plus intéressante.

G – Réfuter les objections. Les auditeurs n'auront pas toujours des objections, mais si vous sentez qu'il y a ou pourrait y avoir une sorte de résistance, défendez vos arguments.

H- Conclure. Après avoir terminé toutes les étapes, il est temps de conclure. La façon la plus simple de le faire est de demander aux auditeurs de réfléchir ou d'agir. selon le message.

Cela semble incroyable, mais avec ce script, en quelques minutes seulement, vous serez prêt à faire votre présentation.

A LIRE EN MOINS D'UNE MINUTE

- Avant de commencer à parler, sachez quel est le sujet et le but de l'événement. Pour ce faire, découvrez ce qui a amené les auditeurs à cette rencontre.

- Accueillir les auditeurs selon la formalité de la circonstance. "Dames et messieurs », « bonjour à tous » ou « bonjour/bonsoir/bonsoir à tous » suffiront presque toujours.

- Remerciez-les de vous avoir invité à prendre la parole et expliquez comment le public peut bénéficier de votre présentation.

- En une ou deux phrases seulement, décrivez le sujet que vous allez aborder.

- Clarifier le problème ou faire un historique, une rétrospective du thème.

• Présenter la solution, si vous souleviez un problème, ou parliez du moment présent, si vous commenciez à faire référence au passé. Ici, il vaut la peine d'utiliser des exemples, des statistiques et des recherches pour renforcer l'argument. Pour illustrer, raconter une histoire et, si nécessaire, réfuter les objections.

• Concluez en demandant aux auditeurs de réfléchir ou d'agir.

3

Vous parlerez bientôt

Réduisons votre temps un peu plus loin. Imaginez que vous êtes dans l'œil de l'ouragan et que même en rêve vous n'avez pas 29 minutes pour vous préparer. Supposons que vous soyez détendu en assistant à un événement et, à votre grande surprise, découvrez que vous serez invité à vous adresser se lever et dire quelques mots devant le public. *Inutile de désespérer. En moins de temps que vous ne le pensez, vous pouvez résoudre le problème et bien faire.*

Voyez à quel point il est simple de se préparer à parler en public lorsque vous êtes déjà sur le lieu de la présentation et que vous ne disposez que de quelques minutes pour décider quoi dire au public - une situation pas si inhabituelle.

Ces circonstances sont-elles dans lequel vous avez déjà été informé que vous alliez parler devant le groupe, mais vous devez attendre que d'autres personnes se présentent, ou que différentes parties d'un programme soient remplies.

FOCUS SUR LE THÈME ET LA RAISON DE L'ÉVÉNEMENT. Comme vous venez de le voir dans le chapitre précédent, identifier clairement la raison de l'événement et le sujet qui sera abordé est la première et l'une des étapes les plus importantes pour bien planifier une présentation, quel que soit le temps dont vous disposez. Je suis répétitif, mais cette information est vitale pour le succès de tout discours.

Connaissant le sujet de la rencontre et les raisons qui ont amené les gens à cet endroit, il vous sera plus facile de trouver les informations qui vous aideront à planifier le contenu de votre message en quelques minutes.

UTILISER L'INFORMATION QUE VOUS MAÎTRISEZ DÉJÀ. Avec seulement quelques minutes pour vous préparer, ne tombez pas dans la folie d'agir comme si vous défendiez une thèse et d'essayer de faire une conférence sur le sujet de votre présentation. Ce n'est pas le moment des grandes envolées oratoires ; au contraire, dans cette circonstance, vous devez garder les pieds sur terre, bien remplir votre rôle et faire passer un message simple et objectif, dans les plus brefs délais possible.

Vérifiez quelles informations vous connaissez bien et qui, au moins à distance, peuvent être associées au thème de l'événement. Choisissez rapidement, car plus vite vous pourrez organiser vos idées, plus vous vous sentirez à l'aise et en sécurité.

Certains thèmes sont plus appropriés car, en général, ils peuvent être facilement associés à la plupart des sujets. Par exemple, vos trajets les plus fréquents activités professionnelles ou de loisirs intéressantes, ou les livres et films qu'il juge remarquables pour avoir fourni des moments de réflexion et d'apprentissage.

Sont également utiles les défis professionnels qui ont déterminé la trajectoire de votre carrière, les histoires de vie des personnes que vous avez rencontrées, les actualités que vous suivez ou toute donnée qui sert de préparation et vous apporte débrouillardise et facilité devant le public. Bien que j'aie donné plusieurs exemples, pour gagner du temps, sélectionnez rapidement le sujet sur lequel vous êtes le plus compétent et concentrez-vous dessus pour étayer votre discours.

Et voici un conseil important : habituez-vous à garder certains de ces sujets préparés, comme des cartes dans votre manche, pour les utiliser de la manière la plus pratique selon le sujet que vous devez aborder.

TROUVEZ L'IDÉE OBLIGATOIRE. Le passage entre le sujet que vous avez choisi pour servir de support et le thème de la rencontre doit se faire, de manière subtile et imperceptible, à l'aide d'une idée de liaison.

Après avoir sélectionné le sujet le plus approprié pour soutenir le développement du thème, identifiez l'idée qui peut servir de pont entre l'un et l'autre.

Si, par exemple, le sujet de la réunion est l'établissement d'objectifs pour l'année prochaine et vous décidez de choisir comme sujet support la trajectoire professionnelle d'une personne que vous connaissez très bien et qui est admirée par le groupe, ou l'actualité du chômage dans le pays, qui a retenu votre attention dans l'actualité des journaux et magazines , une idée appropriée pour les lier pourrait être « challenge ».

Ainsi, après avoir décrit la trajectoire professionnelle du collègue, ou parler de plans pour surmonter des taux de chômage élevés, on peut dire que les démarches professionnelles que la personne a traversées, ou la décision prise pour résoudre le chômage, constituent toujours un énorme « défi » à surmonter.

Et, en utilisant le même terme « défi », il est possible de relier votre sujet au thème de la rencontre. Vous pouvez promouvoir ce passage en disant, par exemple, que le « défi » qui symbolisait l'accomplissement professionnel du collègue ou les plans mis en place pour résoudre le problème du chômage sont comparables au « défi » d'atteindre et de dépasser les objectifs établis pour l'année suivante.

Le dévouement, la planification et le dépassement des obstacles seraient d'autres bons ponts pour établir le passage du sujet au thème dans les cas que j'ai mentionnés. choisissez n'importe lequel concept qui sert de transition et indique l'interdépendance entre eux.

C'est un moment très important dans la planification de la présentation, car c'est ce mot, cette expression ou cette idée qui vous permettra d'établir l'association naturelle du sujet que vous avez choisi avec le thème de la rencontre.

Restez à l'écoute et observez bien quelles notions rendent cette connexion possible. Vous verrez que dans certains cas cette progression sera effectué par un mot ou une expression au tout début du sujet. Dans d'autres, seulement à la fin. Et dans d'autres encore, à aucun moment, car il ne peut être que déduit – c'est-à-dire que bien que le mot ne soit même pas mentionné, le concept sera implicite dans le raisonnement.

FAITES ATTENTION AUX AUTRES INTERVENANTS ET AU DEROULEMENT DE LA REUNION. En plus des sujets que vous connaissez à fond et qui servent de soutien pour développer le thème de la réunion, une autre ressource très utile pour vous aider à planifier votre présentation en peu de temps est de porter une attention particulière à la fois à ce que disent les autres intervenants et aux détails de l'événement.

Le discours de chacun des exposants peut vous fournir une infinité de précieux subsides pour organiser en quelques minutes vos réflexions et planifier votre présentation. d'une manière intéressante et sûre.

Notez les phrases les plus pertinentes prononcées par les locuteurs, celles qui peuvent être associées aux informations que vous envisagez de véhiculer. Attention cependant à ne pas être tenté d'écrire mot à mot, de très longs extraits voire l'intégralité du discours.

Privilégiez les phrases et les commentaires qui ont suscité des réactions positives plus fortes dans le public, car ces informations seront déjà, d'une certaine manière, approuvées par une sorte de contrôle qualité des auditeurs.

Rappelez-vous toujours que les mêmes règles discutées ci-dessus concernant l'idée de connexion doivent être observées lorsque vous associez les phrases des autres locuteurs au sujet principal.

De cette façon, en peu de temps, vous pourrez laisser un message approprié au circonstance et sera capable de projeter une belle image dans l'environnement où il doit se produire.

A LIRE EN MOINS D'UNE MINUTE

Suivez le script ci-dessous si vous êtes invité, par surprise, à prendre la parole alors que vous êtes déjà sur place :

- Identifiez le sujet et le but de la réunion. Savoir pourquoi les gens sont là.

- Pour commencer votre discours, choisissez un sujet que vous connaissez. Vous pouvez parler de votre activité professionnelle, citer un certain passage d'un livre ou une scène d'un film que vous jugez remarquable, commenter un voyage, un événement dont vous avez été témoin ou une actualité que vous suivez.

- Associez ce sujet que vous connaissez bien au thème principal à développer. Pour ce faire, utilisez une idée contraignante. Par exemple : "défi", "surmonter", "difficulté", etc...

- Écoutez les paroles des autres orateurs et prenez des notes. Incluez ces informations dans votre discours. Dans ce cas également, utilisez les idées de liaison pour faire des associations avec le thème principal.

4

CINQ ÉTAPES POUR

UNE COMMUNICATION RÉUSSIE

Avant d'exposer les cinq étapes pour réussir dans l'art de parler, je veux discuter de la façon dont je suis arrivé à cette conclusion et montrer pourquoi vous pouvez suivre les suggestions en toute sécurité. Si toutefois vous disposez de peu de temps, rendez-vous directement sur première étape, à la page suivante.

Il est évident que cette synthèse était basée principalement sur plus de trois décennies de dévouement à l'enseignement de l'expression verbale. Grâce à cette activité intense, j'ai pu voir ce qui se traduit effectivement dans la communication orale.

Cependant, en plus de l'expérience accumulée durant toutes ces années à donner des conférences, donner des cours, préparer des cadres, professionnels libéraux et politiciens de s'exprimer avec confiance et aisance, les recherches que j'ai menées pour mon mémoire de maîtrise ont également contribué au choix de ces cinq étapes.

Dans mes études universitaires, j'ai traité un sujet qui m'a toujours beaucoup intéressé : l'émotion. Le titre même de l'œuvre identifie déjà l'essence de son contenu : *L'influence de l'émotion de l'orateur dans le processus conquérir les auditeurs* .

Pour vérifier si l'émotion de l'orateur influence réellement le processus de conquête des auditeurs, j'ai dû comparer cet aspect de la communication avec d'autres que j'imaginais être pertinents dans l'art de parler, comme la voix, le vocabulaire, le langage corporel, le contenu, entre autres .

Dans un enregistrement vidéo, j'ai analysé vingt personnes qui ont remporté des concours d'art oratoire. j'ai comparé toutes les présentations pour identifier les aspects qui étaient importants dans le résultat de chacune.

Je peux anticiper que la conclusion de la recherche a confirmé que l'émotion du locuteur a une influence décisive sur le processus de conquête des auditeurs.

Cependant, il existe d'autres facteurs tout aussi fondamentaux pour le succès de la communication. Sont-ils:

PREMIÈRE ÉTAPE : LE CONTENU

De tout attributs de communication, la chose la plus importante pour vous d'influencer les auditeurs est le contenu. Toutes les personnes qui ont remporté les concours oratoires ont démontré une préparation et une maîtrise du sujet, qui comprend une ligne logique de raisonnement avec un début, un milieu et une fin.

Donc, ne présentez jamais de connaissances superficielles sur le sujet. Étudier, rechercher, consulter. en savoir toujours plus que dont vous aurez besoin pour le moment. Ce « surplus » d'informations vous apportera sécurité et crédibilité.

DEUXIÈME ÉTAPE : L'ÉMOTION

Il ne suffit pas de connaître le matériau à exposer. Pour réussir, il faut toujours parler avec énergie, énergie et enthousiasme ; c'est-à-dire avec émotion.

Si vous ne montrez pas d'intérêt et d'enthousiasme pour parler d'un sujet, vous ne pouvez pas vous attendre à ce que vos auditeurs impliquez-vous et intéressez-vous au sujet que vous présentez.

Par conséquent, sachez qu'avant d'éveiller l'intérêt et d'impliquer les gens, vous devez vous intéresser et vous impliquer dans la cause que vous embrassez et le message que vous transmettez.

TROISIÈME ÉTAPE : LA VOIX

Tous les orateurs qui ont remporté les concours n'avaient pas une voix considérée comme belle selon les normes, mais tous, sans exception, ils ont montré de la personnalité dans la façon dont ils s'exprimaient.

Parlez toujours fermement et faites preuve de personnalité. Sans offenser vos auditeurs, bien sûr, parlez à un volume légèrement supérieur à ce qui leur suffirait pour vous entendre.

Ce volume supplémentaire démontre plus clairement leur disposition, leur implication et leur intérêt pour le thème de l'exposition. Rappelez-vous également de alternez le volume de la voix et le débit de la parole pour créer un rythme agréable et engageant.

QUATRIÈME ÉTAPE : LES AUDITEURS

Parler en public n'est pas la même chose que monter une représentation théâtrale. Le contenu du message et la façon dont vous l'exprimez doivent toujours tenir compte des auditeurs. Tout doit être fait en pensant aux caractéristiques et aux aspirations du public.

le volume de voix, type de vocabulaire, proportion et longueur des gestes, bref, tous les aspects de la communication doivent fonctionner en harmonie pour séduire les auditeurs. Dans les présentations que j'ai analysées, les intervenants qui avaient ce souci du public l'ont emporté.

Avant de vous présenter, consacrez-vous à cette réflexion : qui sont les auditeurs et comment dois-je me comporter pour que le message arrive en toute sécurité ? intéressant pour eux ?

CINQUIÈME ÉTAPE : LA NATURALITÉ

C'est un aspect fondamental. La connaissance, l'émotion, la voix et l'attention aux auditeurs sont des attributs qui doivent être combinés de manière harmonieuse et naturelle. Plus votre façon de communiquer sera spontanée, plus vous vous sentirez en confiance et plus vous aurez de respect et d'admiration de la part du public.

Attention! Si votre communication comporte des erreurs techniques mais préserver la naturalité peut gagner en crédibilité. Cependant, ils croiront à peine vos paroles si vous êtes artificiel.

A LIRE EN MOINS D'UNE MINUTE

- Connaître le sujet et démontrer sa maîtrise du sujet à présenter. Plus vous aurez de connaissances sur le sujet que vous allez exposer, plus votre confiance et votre aisance seront grandes.

- Ordonnez bien votre raisonnement : ayez une ligne logique avec un début, un milieu et une fin.

- Parlez avec implication et émotion. Si vous ne montrez pas d'intérêt pour ce que vous dites, vous ne pourrez pas engager et intéresser vos auditeurs.

- Ayez de la personnalité dans votre voix et dans votre façon de vous exprimer. Essayez toujours de parler un peu plus fort que ce qui serait suffisant pour que les gens vous entendent.

• Renseignez-vous le plus possible sur les auditeurs et adaptez-vous le message selon leurs caractéristiques.

• Soyez naturel et spontané.

5

CONSEILS POUR CRÉER ET RÉALISER DES PRÉSENTATIONS

Si vous êtes invité à prendre la parole en public et que vous ne savez pas comment préparer votre présentation, sachez que cela se produit même avec des conférenciers expérimentés. Suivez le script proposé et voyez à quel point il est simple de créer des présentations en peu de temps. Ces suggestions sont cruciales, surtout pour ceux qui n'ont que 29 minutes pour se préparer. Les mêmes recommandations s'appliquent à la rédaction de textes.

1 – SE CONCENTRER POUR CRÉER. Le moment de la création est la phase la plus délicate de tout le processus ; c'est alors qu'il faut bien réfléchir pour choisir le sujet que l'on va exposer. Votre bonne performance devant le public en dépend.

2 – DÉTERMINER LE THÈME ET SES OBJECTIFS. pour un bon performance devant le public, vous devez d'abord bien déterminer le sujet que vous présenterez et les objectifs visés. En plus d'être créatif, vous pouvez utiliser des méthodes simples pour vous discipliner et mener à bien cette étape.

3 – PARLEZ D'UN SUJET QUE VOUS DOMINEZ. Facilitez-vous la vie. Pour vous sentir à l'aise lors de la présentation, choisissez un sujet que vous maîtrisez. Le plus à savoir le sujet, plus il sera sûr et confiant devant

les auditeurs. Cette recommandation est tellement pertinente que je l'ai déjà répétée à quelques reprises.

4 – DELIMITER LE THEME. En général, les sujets étant assez complets, il convient de se limiter à certains aspects. Par exemple, un exposé sur le marché financier est très générique, puisque ce sujet est composé de plusieurs sous-thèmes. Dans ce cas, sélectionnez ceux qui vous sont le plus familiers - comme les types de financement disponibles ou l'évolution des taux d'intérêt sur le marché international - et faites attention à ce qu'il n'y ait pas d'inconvénients par rapport aux caractéristiques de l'événement. La délimitation du thème doit être adéquate à votre expérience et au temps de présentation et de recherche que vous aurez à faire.

5 – ASSOCIEZ-LE CE QUE VOUS CONNAISSEZ BIEN. En plus d'opter pour l'aspect du sujet qui vous est familier, essayez également de développer le sujet en l'associant à des histoires et des exemples que vous connaissez très bien et qui sont directement ou indirectement liés à l'objectif de la présentation.

Reprenons l'exemple du conseil précédent : si vous avez décidé de vous occuper des différents financements et que vous saviez monter une entreprise, Je pourrais raconter l'histoire d'une certaine entreprise qui a démarré ses activités grâce à un type de financement spécifique. Dans ce cas, je parlerais des différentes étapes de l'ouverture d'une entreprise, qui est le sujet que vous maîtrisez, puis je ferais le lien avec les types de financement disponibles sur le marché, en rapportant l'exemple d'une organisation qui pourrait être rendu viable en choisissant correctement le prêt dont vous aviez besoin.

6 – CHOISISSEZ UN SUJET APPROPRIÉ À LA CIRCONSTANCE. Il ne sert à rien de parler d'un aspect du sujet que vous maîtrisez s'il ne répond pas aux attentes de l'auditoire. Alors, n'oubliez pas : le public s'attend à ce

que vous développiez des sujets qui les intéressent, adaptés au contexte et aux circonstances de la présentation.

7 – SOYEZ PRUDENT DANS LA RECHERCHE. Vérifiez qui sont les auditeurs, quelle est la formation intellectuelle prédominante du groupe, s'il y avait des critères pour que les personnes soient invitées, quel sujet leur a été promis et quelles informations ils ont déjà sur le sujet.

Habituellement, avec de petites modifications dans le sujet que vous connaissez bien, il est possible de répondre aux attentes des participants. Avec un exemple approprié, une illustration ou une Une métaphore bien utilisée, peut-être rapprochez-vous le sujet de ce qu'ils veulent entendre.

8 – FAITES ATTENTION. Lors de la définition du sujet à présenter, certaines précautions importantes doivent être prises, comme, par exemple, couvrir des informations considérées comme dépassées et peut-être déjà inintéressantes sous une forme nouvelle et attrayante. Il n'y a rien de plus rebutant que "l'odeur boules de naphtaline » dans une présentation.

9 – INNOVER. Aucun sujet, aussi ancien et commenté soit-il, ne doit être écarté. Si vous trouvez un bon angle d'analyse, cela aura l'air frais, cela sonnera comme un message inédit pour le public. Alors, essayez de développer des aspects insolites du thème pour le public, car, en sortant du banal et en vous éloignant de l'uniformité, vous attirerez plus facilement l'attention des auditeurs.

10 – PARLEZ DE CE QUE VOUS AIMEZ LE PLUS. N'abandonnez pas ce que je vais vous suggérer maintenant : si vous avez la possibilité d'intervenir dans le choix du matériel à présenter, parlez de ce que vous préférez. Il est presque certain que lorsque vous parlez de ce qui vous fait plaisir, votre performance ravira le public, car vous ferez preuve

d'implication, de volonté, d'énergie et de volonté de parler aux auditeurs. Ce cela rendra votre message unique, spécial, privé.

A LIRE EN MOINS D'UNE MINUTE

- Consacrez-vous au moment de la création. Réfléchissez aux sujets possibles que vous pouvez aborder.

- Choisissez le thème et déterminez clairement les objectifs que vous comptez atteindre.

- Abordez des sujets que vous connaissez bien et qui vous font plaisir. Plus vous serez impliqué dans le sujet, plus ce sera facile pour parler de lui.

- Délimiter le sujet aux aspects qui peuvent être étudiés et développés dans le temps disponible pour la recherche et la présentation.

- Quel que soit le sujet, adaptez-le aux intérêts et aux attentes de vos auditeurs. De petites modifications ou illustrations peuvent aider.

- Rendez votre présentation attrayante. Si le thème est déjà un peu usé par le temps ou par abus, ornez-le avec des vêtements plus intéressants.

6

ORGANISEZ VOTRE MESSAGE RAPIDEMENT

Vous avez un thème à développer et vous ne savez pas par où commencer. Le curseur clignote à l'écran, mais vos idées n'apparaissent pas. C'est une situation courante : elle se produit tous les jours avec de nombreuses personnes dans ou hors de la vie de l'entreprise. Pour ceux qui n'ont que 29 minutes pour s'organiser le message, chaque seconde est beaucoup de temps perdu. Voici quelques conseils simples pour planifier vos présentations rapidement et efficacement.

COMMANDEZ LE SUJET DANS LE TEMPS. L'ordre du temps est une méthode simple et pratique qui peut être appliquée dans presque tous les cas. Vous pourriez être en mesure d'organiser rapidement votre présentation avec juste cette méthode. Rien que par son nom, on peut déduire qu'il s'agit d'une ressource qui montre comment l'information s'est présentée dans le passé, comment elle se manifeste dans le présent et comment elle se comportera à l'avenir.

En plus d'être excellente pour organiser les pensées et concaténer les idées, cette méthode suscite un grand intérêt chez les auditeurs, car elle révèle progressivement les nouveautés. Au fur et à mesure que les différentes informations sont diffusées, les attentes du public grandissent, est curieux de savoir comment les faits vont se passer.

Pour faciliter davantage l'organisation du message, lorsque vous mentionnez le fait qui s'est produit à un certain moment, essayez de l'analyser dans le contexte social, économique et politique de l'époque. Vous pouvez également mentionner une expérience personnelle liée à l'une des périodes citées. Cette information suscite l'intérêt et donne du naturel à la présentation.

ORDRE LE SUJET DANS L'ESPACE. La méthode d'ordonnancement spatial est également assez simple et peut être appliquée dans presque toutes les circonstances. Cette ressource d'organisation du message est très utile car, en plus de permettre le découpage du sujet, elle permet d'aborder les aspects entourant le lieu évoqué, comme les pratiques religieuses, les coutumes sociales, les activités politiques, etc.

Si, par exemple, votre sujet est le développement industriel, vous pouvez montrer comment cette question est abordée par les Américains, les Européens, les Asiatiques et les Brésiliens. En parlant de ces régions, il est possible d'analyser les caractéristiques de chacune et de les associer à la méthode de classement dans le temps, ce qui produit d'excellents résultats.

MONTRER LES PROBLÈMES ET LEURS SOLUTIONS. La méthode de Le dépannage peut vous aider à systématiser les données, vous permettant d'identifier les situations défavorables, d'analyser la solution proposée, puis de commenter les conséquences.

Il est important de bien considérer tous les angles du thème qui seront exposés, car ce qui aujourd'hui peut sembler très évident, peut-être qu'à une autre époque c'était un sérieux problème. Ainsi, lors du signalement du problème existant lors d'occasions passées, faciliter la compréhension du problème actuel en regardant en arrière, un historique de l'évolution du problème au fil du temps. Cette fonctionnalité peut créer un intérêt supplémentaire chez les auditeurs.

Ces méthodes peuvent être utilisées séparément ou combinées. Tant que l'utilisation des ressources vous aide à planifier la séquence de vos messages et facilite la compréhension des auditeurs, vous avez vous êtes libre de les utiliser comme bon vous semble. Sans oublier qu'ils peuvent vous aider à organiser votre message à la dernière minute.

A LIRE EN MOINS D'UNE MINUTE

- Organisez le message en pensant toujours à le rendre plus facile à comprendre pour les auditeurs.

- La meilleure méthode est celle qui vous permet d'utiliser le plus vos connaissances.

- Les auditeurs doivent trouver l'information intéressant.

- Utilisez des délais pour aider à établir le contexte. Par exemple, comment les gens se rendaient au travail dans les années 1950 , quels moyens de transport ils ont commencé à utiliser dans les années 1970 et 2000 , qu'ils utilisent aujourd'hui et ce qu'ils utiliseront à l'avenir.

- Utilisez également des repères spatiaux. Parlez de la façon dont le thème s'applique dans différentes régions. Par exemple, à quoi ressemble l'éducation en Amérique du Nord, en Europe, en Asie et en Amérique du Sud.

- Aborder le sujet en considérant les problèmes qui le constituent et les solutions qui pourraient être proposées.

- Combiner plusieurs méthodes pour planifier la présentation et organiser la réflexion.

7

LA MEILLEURE TECHNIQUE POUR PARLER EN PUBLIC

La meilleure technique de prise de parole en public est celle avec laquelle vous êtes le plus à l'aise. Il y a des orateurs qui préfèrent se fier aux notes. D'autres se sentent plus libres lorsqu'ils mémorisent certains sujets. Et nombreux sont ceux qui aiment mémoriser les discours. Pour choisir la technique la mieux adaptée à votre style, vos besoins et les circonstances de la présentation, cela ne prend pas beaucoup de temps, il vous suffit de lire ce chapitre.

Qui pourrait critiquer un orateur qui mémorise le texte mais réussit bien dans ses présentations ? Si je déconseille cet appareil, je dois avouer que certains intervenants l'utilisent avec une habileté admirable. Mémoriser facilement, ils sont doués pour l'interprétation et gèrent bien les trous de mémoire inattendus.

Vous ne remarquez pas cette lueur vitreuse dans leurs yeux, typique de quelqu'un qui mémorise ce qu'il va dire. Même avec le discours enregistré en mémoire, ils parviennent à tirer parti des faits de l'environnement et à les inclure dans leur discours comme si tout le message était né là, devant le public.

Certains s'en sortent bien à l'autre extrême. Prenez le texte complet, comme s'ils allaient lire le message. Devant le public, cependant, ils se contentent de cligner des yeux pour repérer une information ici, une autre là, et s'assurent d'obéir à la séquence qu'ils ont prévue.

Une précaution s'impose : l'adéquation à la circonstance. Il ne conviendrait pas, par exemple, que le fils lise l'hommage à sa mère le jour de son anniversaire. Dans cette situation, il serait plus approprié un court discours, sans notes, avec des informations tirées de l'expérience familiale elle-même.

De même, le discours improvisé serait déconseillé dans les occasions qui nécessitent une correction rigoureuse des informations. Si le message contient une grande quantité de chiffres et de dates, le simple fait de le lire ou, au moins, quelques notes aiderait à bien accomplir la tâche.

Si vous êtes invité à prononcer un discours sur des sujets de votre spécialité, évitez les notes excessives, qui peuvent démontrer une insécurité ou un manque de préparation. Une ou deux cartes avec des rappels pour les urgences et quelques aides visuelles suffisent.

Si toutefois le sujet est votre spécialité et que vous devez monter une nouvelle présentation, n'hésitez pas à prendre vos notes sur la plateforme. Avec une bonne pratique, vous deviendrez si familier avec la séquence d'informations que, lorsque vous regardez la note, vous saurez déjà quoi dire.

Peu importe le domaine que vous avez sur le sujet et la technique que vous décidez d'utiliser, ne cessez jamais de vous préparer. Entraînez-vous autant que vous le pouvez. Cet exercice sera utile non seulement pour cette présentation particulière, mais aussi pour le développement de votre communication. Plus on pratique, mieux c'est orateur tu deviendras. Et si vous êtes pressé, faites l'exercice dans le temps dont vous disposez.

A LIRE EN MOINS D'UNE MINUTE

- Essayez autant de techniques que possible et choisissez celle qui vous convient le mieux.

- Regardez les notes comme vous le pensez, sans vous précipiter.

- Lisez la phrase puis commentez, développez, discutez. Lorsque vous avez terminé le commentaire, lisez la phrase ci-dessous et faire d'autres observations et considérations. Vous vous sentirez en sécurité avec le support des notes et libre de développer votre réflexion devant vos auditeurs.

- Essayez de tenir les feuilles avec des notes à hauteur de taille.

- Même si la mémorisation de la parole est considérée comme la pire de toutes les techniques de présentation, si vous avez la capacité de mémoriser, d'interpréter et de souplesse pour pallier à certains oublis, il n'y aura aucun problème à recourir à cet artifice.

- Des aides visuelles dans la bonne mesure peuvent également servir de support.

8

LORS DE LA PRÉSENTATION ET DE L'APPROBATION D'UNE PROPOSITION

Si vous devez présenter une proposition lors d'une réunion d'entreprise ou lors d'une négociation avec des clients ou des fournisseurs, en plus des arguments dont vous disposerez pour soutenir votre cause, vous devrez vous préparer à conjurer la résistance de vos auditeurs. Ceux-ci sont quelques points qui peuvent faire de votre présentation un succès.

1 – LES GROUPES SONT DIFFÉRENTS. Vous ne devez pas préparer une présentation et l'utiliser à différentes occasions comme si le public était toujours le même. Si vous le faites, vous atténuerez probablement les défenses de vos auditeurs et, par conséquent, vous réduirez vos chances d'atteindre les objectifs souhaités.

2 – RENCONTREZ LES AUDITEURS. neutraliser la résistance des auditeurs, la première étape est donc d'identifier les caractéristiques du public. Il est important de connaître le niveau intellectuel prédominant du groupe et les connaissances que les gens ont sur le sujet. Vous pouvez obtenir ces informations auprès de l'organisateur de la réunion ou de l'événement ou lors d'une conversation préliminaire avec les participants eux-mêmes.

3 – ESSAI SPÉCIAL. Si, par hasard, vous Si vous ne pouvez pas obtenir ces informations à l'avance, au début de la présentation, faites des

observations subtiles et évaluez les réactions des gens. Si la réaction est rapide, ils ont probablement une formation et des connaissances. Si vous remarquez une réaction plus lente, soyez prêt à baisser le niveau d'information. Cette perception peut être utilisée au moment de l'urgence, mais elle deviendra plus nette à mesure que vous avez plus d'expérience dans la prise de parole en public.

4 – ÉTABLIR LA PROFONDEUR DU THÈME. Après avoir identifié le niveau intellectuel de l'auditoire et les connaissances que les gens ont sur le sujet, vous pouvez adapter le message. Cette adéquation est importante car, si l'information est trop au-dessus ou en-dessous de la capacité de compréhension des auditeurs, ils s'en désintéresseront naturellement. par l'exposition.

5 – NE PAS CONFONDRE LE TYPE DE RÉSISTANCE. Certaines personnes se trompent lorsqu'elles évaluent le type de résistance dans le groupe. Ils pensent que la résistance les concerne, alors qu'en fait, il s'agit du sujet. Pour lever ce doute, il suffit de réfléchir : « Si je change ma façon de penser, le public restera-t-il résistant ? Si la réponse est non, il sera évident que la résistance ce n'est pas lié à toi.

6 – D'ACCORD AVEC LES POINTS COMMUNS. Si, dans le groupe, il y a des gens qui ne sont pas d'accord avec votre façon de penser, ne donnez pas votre avis sur le sujet dès le début, car cette attitude peut encore accentuer la résistance déjà existante. Commencez par aborder des points communs et convergents pour donner l'impression que l'opinion pourrait être la même. Essayez de rassembler ces informations aussi longtemps à l'avance que possible.

7 – DÉMONTRER SA CONNAISSANCE. Si les auditeurs ne sont pas très sûrs de votre connaissance du sujet dont vous allez parler, commencez votre présentation en révélant subtilement votre expérience. Dans le cadre de l'exposition, parlez des travaux que vous avez développés, des projets que vous avez idéalisés, des tâches que vous avez commandées.

Lorsqu'ils voient que vous avez réellement de l'expérience, les groupe sera désarmé. N'oubliez pas cependant d'être toujours subtil ; sinon, cela pourrait être perçu comme excessif.

8 – ÉLEVEZ LES AUDITEURS. Si les gens sont fatigués, pressés, mal à l'aise ou se sentent obligés de rester là où vous jouez, essayez de les rassurer en leur disant que ce ne sera pas long. La promesse de brièveté est magique pour conjurer ce genre de résistance.

9 – TRAVAILLER DANS LES COULISSES. Ne soyez pas naïf en imaginant que vous réussirez à présenter une proposition simplement parce que votre prestation sera bonne devant le groupe. Les résistances les plus fortes doivent être traitées et éliminées en amont dans le travail en coulisses, en négociant personnellement les points divergents. Par conséquent, apprivoisez les bêtes avant d'entrer dans l'arène. procéder de cette façon, vous serez en mesure de tirer le meilleur parti du temps dont vous disposez.

10 – PRENDRE LE MEILLEUR. Pendant la phase de préparation de votre discours, ne sélectionnez que des arguments solides et cohérents qui ont un soutien. Gardez à l'écart toute information qui peut être facilement contestée. Si vous incluez un argument fragile dans votre thèse, les opposants peuvent le détruire à la fin. et prétendre que, comme il y avait une erreur dans cette partie de l'exposition, les glissades se sont probablement aussi produites avec les autres arguments. Surtout quand vous avez peu de temps de préparation, pour profiter au maximum des 29 minutes, n'incluez que les meilleurs arguments sur lesquels vous pouvez mettre la main.

A LIRE EN MOINS D'UNE MINUTE

- Avant de soumettre une proposition, parlez personnellement « dans les coulisses » avec ceux qui participent à son évaluation. Ainsi, il sera plus facile d'éliminer une éventuelle résistance.

- Les auditeurs ont des caractéristiques particulières. Essayez de connaître leur tranche d'âge, leur niveau intellectuel et leurs connaissances sur le sujet. De cette façon, il sera plus simple d'adapter le message aux intérêts et aux caractéristiques des personnes.

- Évaluez s'il y a de la résistance de la part des auditeurs. Si elle est envers vous, faites preuve de connaissance et d'autorité. Si c'est lié au sujet, commencez par aborder les points avec lesquels le public est d'accord. Si le problème est l'environnement, promettez d'être bref sur l'exposition.

- N'utilisez pas un argument controversé pour soutenir un autre argument controversé.

9

COMMENT FAIRE FACE À LA PEUR DE PARLER EN PUBLIC

Si vous êtes un professionnel qui a besoin de prendre la parole en public de temps à autre – que ce soit dans des réunions au sein de l'entreprise ou dans des environnements externes au contact de clients, de fournisseurs, d'investisseurs ou de syndicalistes – et que vous ne vous sentez pas à l'aise avec le public, apprenez, en peu de temps, comment traverser ces moments difficiles.

Imaginons une situation presque désespérée : vous êtes à la réunion d'entreprise attendant le moment de parler. Réalisez que le cœur s'accélère, les mains commencent à transpirer et deviennent froides, la respiration perd son rythme naturel, la voix se recroqueville dans la gorge, les papillons volent dans l'estomac, les jambes tremblent et les pensées, qui étaient si brillants, disparaissent.

Ce sont quelques-uns des symptômes qui terrifient de nombreux professionnels lorsqu'ils présentent des idées, des projets et des propositions aux managers, directeurs et conseillers d'entreprise. Et ce sont les meilleures occasions pour vous de révéler vos aptitudes, vos compétences et vos réalisations. Si vous ne réussissez pas bien, vous manquerez probablement votre chance de prouver votre valeur. professionnel. Dans le peu de temps dont vous disposez, voyez comment vous pouvez devenir plus à l'aise dans ce type de situation. Si votre cœur est déjà dans votre bouche et que vous n'avez pas le temps de lire tout le texte, passez directement au résumé à la fin du chapitre.

1 – LE DÉBUT EST LE MOMENT LE PLUS DIFFICILE DE LA PRÉSENTATION. L'adrénaline vient de sortir et vous essayez de trouver le meilleur endroit pour positionnez-vous et entendez même le son de votre propre voix. Alors n'attendez pas pour savoir quels seront vos premiers mots lorsque vous serez déjà devant le public. Découvrez comment commencer. À tout le moins, gardez à l'esprit les premières phrases, même si elles sont prononcées avec des mots différents.

2 – SI VOUS AVEZ PEUR D'OUBLIER LA SÉQUENCE D'EXPOSITION, NE VOUS PRESSEZ PAS À RAPPELER LES ÉTAPES QUE VOUS ALLEZ FAIRE A REMPLIR. Parler en public n'est pas un test de mémoire. Prenez une feuille de route avec les sujets les plus importants dans l'ordre que vous avez l'intention de suivre. Vous n'aurez probablement même pas besoin d'utiliser ce support, mais vous vous sentirez plus en sécurité avec.

3 – QUAND ILS SONT NERVEUX, LES GENS ONT LES MAINS QUI TREMBLENT. Dans les situations où ils ont besoin de lire, ils redoutent l'idée que les auditeurs puissent percevoir le papier formidable. Alors ils deviennent encore plus nerveux. Et parce qu'ils sont nerveux, ils tremblent. Brisez ce cercle vicieux en prenant le texte à lire sur une feuille de papier épaisse. Avec quelques feuilles épaisses à la main, si vous secouez un peu, le public ne le remarquera pas. Sachant cela, vous serez plus détendu.

Même si vous n'êtes pas obligé de lire, si vos mains tremblent, couvrez-les. Ne laissez pas vos auditeurs voir votre inconfort. Appuyez vos mains sur la table, sur la tige du microphone ou sur le dossier de la chaise. Lorsque vous vous sentez plus en confiance, lâchez une main. Si vous remarquez que vous tremblez encore, revenez à la position d'appui. Ne gesticulez que lorsque vous pouvez faire preuve de contrôle et d'assurance.

Le fait de se tenir debout rend la présentation plus efficace, car vous aurez une plus grande maîtrise et un meilleur contrôle des auditeurs.

Cela ne s'applique pas, cependant, quand vous êtes très nerveux. Alors, si la nervosité est trop intense, préférez parler assis. La chaise vous apportera un bon soutien et la table fournira une base de soutien pour vos bras et vos mains et un endroit sûr pour travailler avec vos notes. Les situations dans lesquelles vous serez obligé de parler debout sont très rares.

4 – NE VOUS ROUILLEZ PAS. N'arrivez pas à parler devant le public pour vous en débarrasser bientôt de l'obligation. Vous devez gagner du temps pour vous calmer et brûler l'excès d'adrénaline. De petites activités comme régler la hauteur du micro, boire quelques gorgées d'eau, disposer les draps qui vous serviront de support et regarder le public peuvent vous donner les secondes dont vous avez besoin pour avoir un peu plus de contrôle. Pour ne pas laisser transparaître votre malaise et votre instabilité émotionnelle, commencez par parler plus lent et avec un volume de voix plus faible.

5 – ENCORE PLUS DE TEMPS PENDANT LES MOMENTS INITIAUX DIFFICILES, SI L'ASSEMBLÉE A UN CONSEIL D'ADMINISTRATION, CALME BIEN CHACUN DES MEMBRES DU CONSEIL. Si l'un d'entre eux est connu, profitez-en pour faire un bref commentaire à son sujet. Même si vous connaissez le nom de chacun, assurez-vous de les écrire sur une feuille de papier. Ce sont les détails qui augmentent confiance, car nous sommes tous sujets à des trous de mémoire.

6 – CE N'EST PAS UNE BONNE STRATÉGIE, QUELQUES INSTANTS AVANT VOTRE PRÉSENTATION, ESSAYEZ DE VOUS RAPPELER DE TOUS LES DÉTAILS DE CE QUE VOUS AVEZ L'INTENTION DE DIRE. Ce faisant, vous vous mettrez encore plus de pression. Essayez donc de vous distraire en prêtant attention à ce que les gens disent et aux faits qui vous entourent.

7 – IL Y A DES GENS ENNUYEUX PARTOUT. Ce groupe est un poison pour la tranquillité. Fuyez les conversations qui pourraient vous ennuyer et essayez d'être avec des gens plus gentils.

8 – NE FAITES PAS DE VOTRE PRÉSENTATION ORALE QUELQUE CHOSE DE NOUVEAU POUR VOUS. Avant d'affronter le public, parlez à vos collègues ou à vos amis et à votre famille du sujet que vous allez exposer. En plus de verbaliser ce que vous voulez transmettre, vous pouvez former réponses aux éventuelles questions et objections. Vous vous sentirez plus en sécurité en sachant comment agir si vous êtes interrogé par des auditeurs.

9 – PERSONNE N'EST LIBRE DE VISAGE A BLANC LORS D'UNE PRESENTATION. Si cela vous arrive, ne désespérez pas. Même si ce n'est pas facile, essayez de rester calme. Si vous réussissez, vos chances de succès augmenteront. Comme première tentative pour reprendre la parole, répétez la dernière phrase qu'il a prononcée, comme s'il voulait donner plus d'importance à cette information. Si cela ne fonctionne pas, dites : « En fait, ce que je veux dire, c'est... » Cela fonctionne généralement, car vous vous forcez à répéter le message d'une autre manière. Si cela ne fonctionne pas, dites aux auditeurs que vous reviendrez sur ce point plus tard.

10 – SI VOUS SUIVEZ CES RECOMMANDATIONS, VOUS VOUS SENTIREZ PLUS EN SÉCURITÉ DÈS LES PREMIERS INSTANTS DU PUBLIC. Ils améliorent la situation de ceux qui ont besoin de bien faire à la dernière minute. Sachez toutefois que rien ne remplace une bonne préparation. Donc, si vous avez les conditions, préparez-vous le plus à l'avance possible.

A LIRE EN MOINS D'UNE MINUTE

- Puisque les premiers moments de la présentation sont les plus difficiles, sachez quoi dire au début.

• Prenez un script écrit comme soutien. Même s'ils ne sont pas utilisés, les notes vous rendront plus sûr.

• Pour que le tremblement de la main ne soit pas remarqué par les auditeurs, imprimez votre discours sur une feuille de papier plus épaisse.

• Ne soyez pas pressé de commencer. Commencez par parler lentement et à un volume plus faible jusqu'à ce que vous vous sentiez plus en confiance.

• Si vous êtes très nerveux, appuyez d'abord vos mains sur la table ou sur le dossier de la chaise.

• Discutez avec des collègues ou des amis de ce que vous voulez présenter.

• Préparez-vous le plus longtemps possible.

10

TROIS DÉFAUTS DANS LA

COMMUNICATION PROFESSIONNELLE

Comme je l'ai dit, pendant des décennies, j'ai préparé des professionnels à parler en public de manière sûre et efficace. Quel que soit le type de formation qu'ils suivent – cours collectifs, cours ouverts ou *en entreprise* , ou programmes individuels –, les problèmes présentés dans la communication sont généralement similaires.

Afin que vous profitiez au maximum de vos 29 minutes, je vais aborder trois questions qui reviennent le plus fréquemment. Ce ne sont pas les seules difficultés présentées dans la communication verbale, mais ce sont les défauts les plus évidents qui nuisent le plus au résultat des présentations orales.

MANQUE D'ORDONNANCE LOGIQUE DU RAISONNEMENT. C'est sans sans doute le plus gros problème que les gens ont quand ils parlent en public. Beaucoup ne savent pas concaténer et structurer leurs pensées et perdent la séquence logique du discours.

Il est courant d'observer des professionnels, même avec une certaine expérience de la tribune, sans la moindre idée de comment commencer, développer et conclure une présentation. Certains, téméraires, ne préparent pas correctement l'introduction, ne ils se préoccupent de gagner l'auditeur et entrent directement dans le thème central.

Nombreux sont ceux qui sautent d'une étape à l'autre sans aucune planification. En finissant, ils reviennent à l'introduction, puis répètent les arguments déjà exposés en détail, les fragilisant par trop de répétitions. Par conséquent, veillez à tout organiser avec soin. ce que vous voulez transmettre. Prenez le temps de lire le chapitre 5, « Conseils pour créer et élaborer des présentations ».

PEUR DE PARLER EN PUBLIC. La peur déclenche d'innombrables problèmes et nuit à l'efficacité de la communication. Lorsque le professionnel est pris de peur, il est incapable d'ajuster le volume de sa voix à l'environnement dans lequel il se trouve. Il perd son caractère naturel. Réagissez de manière agressive. Gardez le raisonnement tronqué. Parle trop vite ou trop lentement. Quoi qu'il en soit, révèle un malaise et se montre incompétent pour parler en public.

Pratiquement tous les cadres qui viennent me voir se disent insatisfaits du malaise qu'ils ressentent lorsqu'ils s'adressent à un public. Ils disent que c'est un sentiment qui ne correspond pas à l'expérience et à la position qu'ils occupent.

Consacrez-vous à la lecture du chapitre 9, « Comment faire face la peur de parler en public ».

DÉCONTRÔLE DE L'EXPRESSION CORPORELLE. Anthony Giddens, considéré comme le philosophe social anglais le plus important de notre époque, déclare dans l'ouvrage *Modernity and Identity* qu'"Apprendre à devenir un agent compétent - capable de rejoindre les autres sur un pied d'égalité dans la production et la reproduction des relations sociales - c'est pouvoir exercer un contrôle continu et efficace visage et corps".

Il est possible de déduire de cette affirmation que, pour vous sentir compétent, vous devez garder le contrôle de votre corps dans toutes les situations sociales. En outre, Giddens déclare également que "être un agent compétent signifie non seulement maintenir un tel contrôle continu, mais le faire savoir aux autres lorsque vous le faites".

Il y a deux raisons pertinentes pour vous apprenez à utiliser la posture, les gestes et la communication faciale correctement et en toute sécurité. La première est qu'en surveillant toujours votre corps, vous vous sentirez maître de vos actes et vous montrerez compétent et confiant. Ce sera une sorte de havre de paix qui vous procurera tranquillité d'esprit et confiance. La seconde est que ce domaine est perçu par les autres.

Si, par hasard, la première condition ne satisfait pas peut être atteint, c'est-à-dire que vous ne pouvez pas garder le contrôle de votre corps, vous perdrez votre protection et votre confiance fondamentale sera menacée. Par conséquent, la deuxième condition sera affectée, car d'autres percevront ce manque de contrôle et pourront se méfier de votre compétence. Prenez le temps de lire le chapitre 11, « Évitez les mauvais gestes lorsque vous parlez ».

A LIRE EN MOINS D'UNE MINUTE

- ont été indiqués plusieurs chapitres de ce texte. Lorsque vous le pouvez, lisez-les attentivement. Ce sont les aspects de la communication qui sont les plus difficiles pour les orateurs publics.

- Commencez à combattre votre peur de parler en public tout de suite. Il peut être battu. Pour y faire face, apprenez à connaître le sujet en profondeur et organisez bien votre raisonnement, avec un début, un milieu et une fin. Pratiquez beaucoup pour acquérir de l'expérience parler en public - profitez de chaque occasion de prendre la parole lors de réunions d'entreprise, en classe, en posant des questions lors de conférences auxquelles vous assistez en tant qu'auditeur. Apprenez à identifier vos aspects positifs de la communication, découvrez ce que vous faites bien et quelles sont vos forces.

- Apprendre à dominer le corps devant le public, en maintenant la posture et les gestes, comme vous le faites déjà au quotidien.

11

ÉVITEZ LES FAUSSES GESTES

EN PARLANT

J'ai utilisé exprès le terme "faux" dans le titre, avec l'intention de le remplacer ensuite par l'adjectif "déconseillé", car il n'y a rien de si mal dans la communication qu'il ne puisse être fait dans certaines circonstances.

Il est courant d'entendre des gens censurer le comportement de certains intervenants comme s'ils avaient commis la pire des erreurs : « Polito , j'ai assisté à une conférence avec un consultant qui ne savait pas comment se présenter. Il s'est retourné et a bougé, il a mis sa main dans sa poche !

Dans certains cas rapportés, je connaissais même l'orateur qui était critiqué et je savais qu'il était un très bon communicateur. Comment, cependant, certains apprennent-ils des règles de conduite et se façonnent-ils totalement à eux, ils tombent dans l'exagération de penser que tout comportement en dehors du modèle déterminé constitue une erreur.

Donc, ne prenez pas les règles au pied de la lettre. Sachez que, même si certaines attitudes sont déconseillées, dans certaines situations, selon l'environnement et les caractéristiques de ceux qui les utilisent, elles peuvent même être recommandées.

Compte tenu de cette relativité des règles, en général, ne parlez pas les mains dans les poches ou derrière le dos, les bras croisés ou en appui prolongé sur la table, le pupitre ou la perche du micro. Évitez de faire des gestes avec vos mains sous votre taille ou au-dessus de votre tête.

Soyez prudent avec la posture. Parfois on peut se sentir intimidé par le type de public auquel on va faire face et on finit par se présenter tête baissée, corps courbé, montrant une humilité excessive et une attitude de perdant, de quelqu'un qui a échoué.

D'autre part, nous courons le risque de sous-estimer nos auditeurs et, lorsque cela se produit, nous nous présentons la tête haute, regardant par-dessus le public, avec une attitude qui traduit peut-être l'arrogance et l'arrogance.

Un autre comportement qui peut compromettre la qualité de la présentation est le fait que le orateur se déplace autour et autour du public sans but d'une manière désordonnée.

Lorsque vous vous positionnez, essayez de ne pas vous appuyer sur une seule de vos jambes, changez encore moins fréquemment votre position d'appui, tantôt debout sur l'une, tantôt sur l'autre.

N'ouvrez ou ne fermez pas trop les jambes, car la première position pourrait nuire à votre élégance et la dernière pourrait vous nuire. votre équilibre, vous laissant avec une posture très raide.

Soyez conscient des mouvements involontaires répétitifs qui détournent l'attention des auditeurs, comme se gratter la tête, tenir le col de votre chemise ou de votre veste, jouer avec votre alliance ou votre bracelet, jouer avec des objets tels que le fil du microphone, le pointeur laser, le stylo *ou* le crayon, et d'autres attitudes qui peuvent distraire les gens.

Est pour pour finaliser la liste des comportements déconseillés, j'attire l'attention sur ce que je considère comme les deux erreurs les plus courantes en matière de gestes : trop peu et trop. Comme ils sont importants pour aider à communiquer le message, l'absence de gestes peut nuire à la qualité de la communication.

D'autre part, l'excès détourne l'attention, rendant difficile la compréhension de l'information. Toujours, il vaut mieux ne pas faire de gestes que de se présenter avec des gestes exagérés.

Si vous ne faites pas de geste mais que vous présentez un bon message, les auditeurs pourront toujours suivre votre raisonnement. Si, toutefois, vous exagérez vos mouvements, il sera difficile pour les gens de se concentrer sur vos paroles.

Ce sont des précautions à prendre pour ne pas nuire à vos présentations. Rappelez-vous si, cependant, d'après ce que j'ai dit au début: il n'y a rien de si mal en termes de communication qu'il ne peut pas être fait dans certaines circonstances. Ce concept très simple sur l'importance du langage corporel naturel vous évite non seulement de perdre du temps avec des règles qui, en général, peuvent être laissées de côté, mais préserve également une bonne partie de vos 29 minutes.

A LIRE EN MOINS UNE MINUTE

- Évitez les sous-gestes et les sur-gestes. Entre ces deux attitudes déconseillées, préférez le manque à l'excès.

- Certains gestes jugés déconseillés peuvent être utilisés dans certaines circonstances.

- En général, évitez de parler les mains dans les poches, les bras derrière le dos ou les bras croisés devant vous. Évitez également de faire des gestes en dessous de la ligne de taille ou au-dessus de la tête.

- Essayez de ne pas laisser vos jambes trop ouvertes, pour ne pas perdre en élégance, ou trop fermées, pour ne pas compromettre votre équilibre.

- Attention à ne pas vous présenter la tête baissée, afin de ne pas faire preuve d'une humilité excessive. Aussi, ne gardez pas la tête trop haute, en regardant par-dessus vos auditeurs, afin de ne pas donner l'impression d'arrogance.

- Avec des objectifs défini, vous pouvez vous déplacer devant les auditeurs.

12

COURT COURS POUR BIEN PARLER

Il s'agit d'un mini-cours pour vous entraîner et perfectionner vos compétences en communication par vous-même. J'ai préparé un scénario avec des réponses aux questions les plus courantes des étudiants de notre cours d'expression verbale. Ce sont des questions qui couvrent les aspects les plus significatifs de l'art de parler en public. Plusieurs de ces points ont été repris plus ou moins en profondeur dans d'autres chapitres.

Lors de la formulation de la question, vous saurez déjà si la question est importante pour votre cas. Si vous manquez de temps, lisez uniquement les réponses avec des instructions qui vous intéressent immédiatement et dissiper rapidement tout doute. Allez droit au but pour tirer le meilleur parti de vos 29 minutes.

1 – QUAND JE SUIS DEVANT LE PUBLIC, IL SEMBLE QUE MES MAINS SONT ÉNORMES ET IL Y A DES DOIGTS PARTOUT. COMMENT DOIS-JE GESTITUER ?

Les gestes que nous utilisons lorsque nous parlons en public ne sont pas très différents de ceux que nous utilisons dans des conversations informelles avec des amis, des membres de la famille et des collègues. Si vous faites des gestes devant les auditeurs de la même manière que vous le faites dans les conversations de tous les jours, ça va certainement frapper.

Quelques conseils que vous pouvez mettre en pratique tout de suite pour améliorer cette situation : faites des gestes modérés, normalement au-dessus de la ligne de taille et sans vous précipiter pour remettre vos mains en position d'appui. Ces précautions rendent la gesticulation devant le public très proche de celle que vous avez l'habitude d'utiliser et offrent un ton naturel, spontané et expressif. De manière objective et simplifiée, la règle est d'essayer d'expliquer avec les mains, avec modération, ce que vous dites.

2 – DEVANT LE PUBLIC, JE NE VOIS PERSONNE. COMMENT DOIS-JE REGARDER LE PUBLIC ?

Au fil du temps, la nervosité s'atténuera et vous commencerez à voir des gens. Regardez à travers le public. Faites pivoter le torse et la tête vers la gauche et vers la droite, de manière à ce que, en plus de casser la rigidité de la posture, vous voyez les auditeurs et les faites se sentir prestigieux avec votre attention.

3 – COMMENT ME POSITIONNER DEVANT LE PUBLIC ? PUIS-JE ME DÉPLACER ? J'AI LU DANS CERTAINS LIVRES QUE LE MOUVEMENT EST IMPORTANT, MAIS D'AUTRES DISENT QU'IL EST MIEUX DE RESTER IMMOBILE. APRÈS TOUT, QUI A RAISON ?

Si vous restez immobile devant le public, vous ne pourrez guère interagir avec les auditeurs. En revanche, si vous bougez trop, ou sans objectivité, vous véhiculerez l'image de quelqu'un d'insécurité, d'hésitant et sans conviction.

Par conséquent, positionnez-vous naturellement sur les deux jambes, en équilibrant votre corps, et essayez de vous déplacer avec un objectif, comme vous rapprocher d'une partie du public qui commence à devenir inattentive, afin qu'elle prête à nouveau attention, ou pour souligner certaines informations que vous jugez pertinentes.

4 – JE N'AIME PAS ENTENDRE MA VOIX ENREGISTRÉE ET JE NE SAIS PAS L'UTILISER EFFICACEMENT.

Certaines personnes n'aiment vraiment pas entendre leur voix enregistrée. C'est parce que lorsque nous parlons, nous entendons notre voix à travers la résonance osseuse à l'intérieur de la tête. Cependant, la voix enregistrée se propage par ondes dans l'air et, par conséquent, très différente de celle que nous entendons lorsque nous parlons.

Habituez-vous à votre propre voix enregistrée, car avec le temps, au fur et à mesure que vous vous familiariserez avec elle, vous vous rendrez compte qu'il s'agit de la même voix que vous avez l'habitude d'entendre lorsque vous parlez. Pour savoir comment les gens entendent votre voix, placez vos mains sur vos oreilles, comme si vous essayiez d'entendre quelqu'un de loin, et prononcez quelques phrases ou dites jusqu'à 10 très élevé. Vous constaterez que votre voix est bien meilleure que vous ne l'imaginiez.

5 – QUE PUIS-JE FAIRE POUR AMÉLIORER MA DICTION ?

Faites quotidiennement des exercices de lecture à haute voix d'une durée de deux à trois minutes. Prenez n'importe quel texte, il peut s'agir d'un article de journal ou de magazine, et lisez-le en plaçant un obstacle dans votre bouche, tel que votre index plié, coincé entre vos dents, comme si vous étiez en colère - sans forcer (l'idée de la colère est juste de montrer comment le doigt doit être à l'intérieur de la bouche). Entraînez-vous jusqu'à ce que les gens puissent facilement comprendre les mots que vous dites.

6 – QUEL EST LE VOLUME DE VOIX APPROPRIÉ ?

Le volume de la voix doit être en accord avec l'environnement dans lequel vous vous présentez. Pour apprendre à régler le volume de votre voix, faites l'exercice suivant : placez un magnétophone au fond de la salle et dites quelques phrases pour voir si l'auditeur qui se trouverait à la même distance que l'appareil d'enregistrement entendrait votre voix.

7 – QU'EN EST-IL DE LA VITESSE DE PAROLE ?

Si vous parlez trop vite ou trop lentement, entraînez-vous à lire de la poésie à haute voix pour développer une bonne vitesse et un rythme plus agréable, c'est-à-dire alterner volume et vitesse de la voix. de la parole.

8 – COMMENT PUIS-JE AJUSTER MON VOCABULAIRE ?

La meilleure attitude pour avoir un vocabulaire adéquat est de parler devant des auditeurs de la même manière que vous vous exprimez lorsque vous parlez à votre famille et à vos amis. Ce comportement aidera à rendre la parole plus fluide. Voyez comment cette astuce revient dans la plupart des chapitres. Utiliser le vocabulaire qui est déjà le vôtre permettra à votre communication de être efficace et ne consommera pas vos précieuses 29 minutes de préparation.

Un bon exercice pour augmenter votre vocabulaire consiste à lire des textes de magazines ou de journaux avec un stylo à la main. Lorsqu'apparaissent des mots dont vous avez oublié ou que vous ne connaissez pas le sens, écrivez le terme puis consultez le dictionnaire. Dès que vous apprenez un nouveau mot, commencez à l'utiliser dans vos prochaines conversations ou textes quoi expurger. De cette façon, il sera plus facile de le réparer.

9 – COMMENT FAIRE POUR BIEN PLANIFIER UNE PRÉSENTATION ?

Dites-nous de quoi vous allez parler. Clarifiez le problème que vous avez l'intention de résoudre. Présenter la solution au problème à l'aide de statistiques, de recherches, d'exemples et de comparaisons. Si vous pensez que c'est pratique, racontez une histoire pour illustrer le cas. Repousser la résistance éventuelle des auditeurs. Concluez en leur demandant de réfléchir ou d'agir sur votre proposition.

10 – COMMENT FAIRE L'INTRODUCTION ?

Tout d'abord, sachez ce qu'il faut éviter dans l'introduction : commencer par des blagues, s'excuser pour des problèmes physiques ou un manque de connaissances sur le sujet, et prendre parti sur un problème dès le début lorsqu'au moins une partie de l'auditoire pense encore différemment.

Au lieu de cela, commencez par féliciter sincèrement vos auditeurs pour gagner la sympathie du public ; raconter une courte histoire intéressante liée au sujet; susciter une réflexion qui mobilise les gens ; montrer les avantages que le public aura en écoutant votre message.

A LIRE EN MOINS D'UNE MINUTE

- Faites des gestes qui correspondent au rythme et à la cadence de la parole.

• Regardez à tous les côtés de l'auditoire, avec modération. En faisant cela, vous observerez la réaction des auditeurs et les ferez se sentir inclus dans l'environnement. Et cela va casser la rigidité de la posture, à cause des mouvements de votre torse.

• Essayez de parler en public avec les mêmes mots que vous utilisez dans la vie de tous les jours. Améliorez votre vocabulaire en lisant et en écrivant des mots que vous ne connaissez pas ou dont vous n'êtes pas certain du sens.

• Basculer le volume de la voix et le débit de parole. Un tel rythme rendra votre communication plus agréable.

• La plupart des gens n'aiment pas que leur voix soit enregistrée. Si c'est votre cas, ne vous inquiétez pas. Au fil du temps, vous vous rendrez compte que nous n'entendons la voix enregistrée que d'une manière différente car elle nous parvient par la vibration de l'air et, lorsque nous parlons, nous l'entendons par la résonance osseuse, produite dans notre tête.

13

Tactiques pour interagir

avec les auditeurs

Pour interagir avec les auditeurs, certains intervenants ont utilisé des tactiques de communication qui ressemblent davantage à des instruments de torture. Dans le but d'améliorer le résultat de leurs présentations, ils posent des questions d'une manière si grossière qu'ils laissent des auditoires entiers avec les nerfs à fleur de peau.

Avec quelques variantes, la scène se déroule plus ou moins comme ceci : le je-sais-tout arrive devant le public et commence à poser des questions comme s'il menait un interrogatoire. Cela commence généralement par un commentaire rapide sur le sujet, puis passe à l'attaque.

Dites, par exemple : « Voyons ce que vous entendez par planification stratégique. Alors, ça commence la phase d'exécution. Regarde droit dans les yeux la victime assise au premier rang et, sans aucune subtilité, pose la question : « Qu'est-ce que la planification stratégique pour vous ? »

Pris au dépourvu, l'auditeur, un peu maladroit, risque une réponse timide en essayant de se remémorer les notions apprises au collège ou dans quelque livre de management pour non-managers. L'orateur fait ça visage de qui je m'attendais déjà à tant d'impréparation et de phrases : « Nananinanão , ce n'est pas comme ça !

D'un air satisfait, comme s'il venait de frapper un autre coup cadré, il se tourne vers un autre auditeur assis au fond de la salle et répète la question. Et, après avoir écouté la réponse, une fois de plus avec l'expression d'impatience que ne cache pas le sourire de triomphe, passe le même verdict.

Et donc, sans Pas de pitié, il exécute victime par victime. Impuissants et gênés, face à des collègues de la même entreprise ou du même métier, comme s'ils étaient des débutants mal informés, ils succombent et se démoralisent.

Au final, après avoir répété une demi-douzaine de fois la même question, toujours accompagnée du même nombre de réponses et d'un nombre égal de nananinanos , le bourreau projette une image colorée et écran sophistiqué avec le concept qu'il considère comme la meilleure définition de la planification stratégique.

Si le concept formulé par le locuteur est bien observé, il sera possible de vérifier qu'il ne diffère pas beaucoup des réponses désapprouvées des auditeurs. L'orateur agit ainsi pour essayer une thèse sous-entendue : "Voyez tout ce que j'ai à enseigner."

Inciter les gens à participer et sont intéressés par la présentation est une ressource exceptionnelle pour le bon résultat d'une conférence. Cependant, poser des questions à l'auditoire uniquement dans le but de montrer que les auditeurs ne connaissent pas le sujet et qu'ils auront beaucoup à apprendre de l'orateur peut créer une atmosphère négative et rendre l'auditoire résistant.

Si vous voulez interagir avec les gens en posant des questions, c'est bien ; mais procéder autrement, plus avantageusement et avec de meilleures chances de succès. Valorisez donc toutes les informations que les auditeurs utilisent comme réponse. Posez des questions et profitez de la réponse en l'adaptant au contenu de votre message.

Imaginons un exemple très exagéré. Supposons qu'après avoir interrogé le public sur le concept marketing, quelqu'un dise qu'il s'agit de vente en gros. Même une réponse absurde comme celle-là pourrait être utilisée pour continuer votre conversation. De toute évidence, dans ce cas, vous n'auriez aucun moyen de louer la réponse, car les gens sentiraient le manque de sincérité et votre crédibilité serait compromise. Sans critiquer l'auditeur, on pourrait dire que l'une des ressources les plus importantes pour permettre les ventes en gros est une politique de marketing. bien planifié. Vous ne diriez pas que la réponse était correcte, mais continuer votre exposition à partir des informations de l'auditeur respecterait son image et sa position face au public.

Une attitude amicale montre de l'intérêt et du respect pour l'image des gens, motive les autres auditeurs à participer avec des réponses et des suggestions, et produit un environnement plus favorable et utile pour la réussite de votre présentation. Vous ne perdez pas de temps à apprendre comment vous comporter dans ces circonstances. Ses 29 minutes sont presque intactes.

A LIRE EN MOINS D'UNE MINUTE

- Posez des questions pour interagir avec les auditeurs. Si le sujet le permet et que les circonstances sont favorables, les questions sont une excellente source d'interaction.

- Ne posez pas de questions juste pour démontrer qui en sait plus que les auditeurs. Cette attitude véhicule une image antipathique, ne fait pas crédit à l'autorité et crée une résistance dans le public.

- Essayez toujours d'évaluer la réponse des auditeurs. Vous ne ferez pas l'éloge d'une réponse sauvage, mais vous pouvez en tirer parti dans votre explication.

- En valorisant une réponse, vous motiverez les autres à participer. Ils se rendent compte que les auditeurs sont respectés et se sentent plus à l'aise pour interagir.

- Si l'objectif est d'encourager la participation du public, plus la question est simple, mieux c'est.

14

ET S'ILS DISENT QUE

DIREZ-VOUS ?

Un événement avec plusieurs intervenants qui parlent du même sujet demande une certaine prudence. Afin de ne pas être pris par surprise, suivez ces sept directives :

1 – Essayez d'assister aux autres cours pour vous assurer qu'ils n'anticipent pas sur des sujets inclus dans votre présentation.

2 – Si, pour quelque raison que ce soit, vous ne pouvez pas assister à ces conférences, demandez à une personne de confiance d'y assister et de vous informer de ce qui a été discuté avant votre présentation.

3 – Bien qu'il soit très peu probable qu'ils anticipent tout ce que vous avez l'intention de dire, organisez un deuxième cours différent pour ce cas. Même si la qualité du deuxième cours laissez un peu à désirer par rapport au premier, au moins vous aurez une bouée de sauvetage. Ce n'est pas facile, car même les grands orateurs, habitués depuis de nombreuses années à affronter toutes sortes de publics, ont du mal à préparer une leçon de réserve. Dans tous les cas, cela vaut la peine de consacrer du temps à la préparation d'une deuxième option.

4 – Créez votre cours magistral avec différents exemples visuels, notamment des vidéos illustratives, car en changeant l'illustration, il sera possible de changer plus facilement les commentaires, en plus de donner l'impression qu'il s'agit de nouveaux thèmes.

5 – Collectez des histoires pour divertir les auditeurs et illustrer votre message. Si quelqu'un qui a parlé avant vous, par coïncidence ou non, a utilisé des informations que vous utilisez normalement dans vos discours, la nouvelle histoire pourrait faire toute la différence. la différence. Cependant, n'espérez pas que ces bonnes histoires vous viendront pendant que vous parlez ; rassemblez-les et préparez-les à l'avance; laissez-les sur le banc, en attendant le meilleur moment pour les mettre en ligne.

6 – Préparez quelques exercices pour favoriser la participation des auditeurs. Donc, si d'autres orateurs utilisent ce que vous vouliez dire, faites-le la présentation qui serait théorique dans une exposition pratique et interactive.

7 – Allez aux événements désarmés mais en même temps préparés. Désarmé de préoccupations, sachant que vous trouverez toujours un moyen de contourner les circonstances imprévues, et prêt à ne pas laisser ces solutions être le fruit du hasard.

Un exemple pour illustrer : je me souviens d'un moment de génie de l'orateur Luiz Marins . Un des livres écrits par le groupe de 15 intervenants auquel j'appartiens, *Réflexion stratégique pour les dirigeants d'aujourd'hui et de demain* , publié par Editora Integrare , coordonné par Dulce Magalhães et préfacé par Max Gehringer , a fait revenir les droits d' auteur à Unipaz .

Le lancement du livre a eu lieu lors d'une soirée d'autographes animée qui a vendu Livraria Saraiva dans le shopping Morumbi , à São Paulo. Sur les 15 auteurs, 10 étaient présents. Le fait qu'il y ait autant d'orateurs de renom a attiré un large public, qui a voulu les voir et les entendre.

Pouvez-vous imaginer ce que signifient 10 orateurs heureux, avec un microphone à la main, parlant sans heure fixe ? Au départ, le président d' Integrare , le responsable de la communication de Livraria Saraiva et Dulce se sont présentées à expliquez comment vous avez assemblé le travail. Dès lors, ce fut un défilé de discours. J'ai eu la chance d'être l'un des trois premiers à dire quelques mots.

Luiz Marins , qui était en bout de table, a été le dernier à se présenter. Chaque fois qu'un orateur terminait son discours, on pouvait le voir secouer la tête, comme pour dire : « Celui-là aussi m'a volé un bout de mon discours... ».

Enfin, ce fut à son tour de prendre le micro. Comme moi, beaucoup se demandaient comment Marins allait sortir de cette crise, tant les thèmes liés à la publication du livre avaient été épuisés dans le discours des autres auteurs.

Marins se leva calmement et, toujours silencieux, regarda autour de lui, savoura ces moments d'attente et lança : « Je me prépare. me sentir comme le huitième mari d'Elizabeth Taylor lors de sa nuit de noces - que puis-je faire aujourd'hui pour surprendre cette femme ?!" Le public est venu s'effondrer. Personne n'aurait pu supposer une tirade aussi opportune et appropriée pour cette circonstance. Comme je l'ai dit, pur génie.

En fait, je ne me souviens même pas de ce qu'il a dit après, mais sa participation a été la plus évoquée par tout le monde. Après tout, il a réussi présenter une nouveauté et "surprendre Liz Taylor lors de sa huitième nuit de noces".

A LIRE EN MOINS D'UNE MINUTE

• Si l'orateur a « volé » vos idées, profitez-en et commentez ce qu'il a dit. De cette façon, vous ferez votre présentation comme si vous profitiez de circonstances nées dans votre propre environnement.

• Si l'orateur anticipait les règles, vous suggérer, parler de la façon dont ils pourraient être brisés. Examinez attentivement toutes les règles que vous aviez l'intention d'utiliser et étudiez celles qui pourraient être ignorées dans certaines circonstances. C'est une ressource qui donne de bons résultats.

• Ayez toujours quelques histoires de sauvegarde. Si vous devez modifier votre présentation, ces étuis supplémentaires vous seront utiles.

• Ne rejoignez pas les horaires d'autres orateurs. Terminer dans le temps imparti. Pour cela, planifiez votre présentation avec des durées différentes. Sachez, avant de commencer, quelles étapes pourraient être éliminées ou réduites.

15

VOTRE COMMUNICATION DOIT ÊTRE UN SPECTACLE

Si vous devez prendre la parole lors d'une convention de vente devant un public de 500 vendeurs, dans un hôtel en bord de mer, et essayer de délivrer un message avec un contenu approfondi du début à la fin, vos chances d'échouer sont de 10 sur 10.

Si, par contre, dans un réunion pour expliquer les résultats et définir la planification stratégique pour l'année suivante, devant une demi-douzaine de conseillers, passez tout votre temps à raconter des blagues et des histoires drôles, vos chances d'échec peuvent diminuer un peu. Ce sera peut-être 11 sur 10.

Ces hypothèses extrêmes sont pour montrer que le résultat d'une présentation dépend de la façon dont on adapte la manière parler de la circonstance, du contexte et, surtout, des caractéristiques des auditeurs.

Dans les deux cas, vous devriez vous soucier de laisser un message important, mais votre façon de parler doit être adaptée au type d'événement auquel vous vous produirez.

Une bonne communication doit être une combinaison équilibrée de contenu et de spectacle. Il faut « arroser » le contenu avec la quantité émission idéale pour que les auditeurs s'intéressent au message et au résultat de la présentation pour être positifs et atteindre les objectifs souhaités.

Dans la première hypothèse, la convention de vente, le contenu doit être transmis avec beaucoup de spectacle. Ce n'est pas une situation propice aux messages techniques qui demandent une concentration soutenue. Sont des événements dans lesquels vous devez résumer les points d'information les plus pertinents que vous souhaitez communiquer et faire en sorte que le spectacle capte l'intérêt du public.

Lors de la réunion du conseil d'administration, les auditeurs s'attendent à recevoir le contenu avec précision et objectivité. Dans ce cas, il faut programmer le plus d'informations techniques possible et le minimum de spectacle.

N'oubliez pas cependant que même si vous êtes un réunion du conseil d'administration, vous aurez affaire à des gens qui ont toujours besoin d'un petit spectacle pour rester intéressés.

Eh bien, de quel genre de spectacle s'agit- il ?, pensez-vous peut-être, car vous n'avez peut-être pas de dons artistiques capables d'attirer l'attention d'un public. Je vous garantis que vous avez les conditions pour donner le spectacle nécessaire à la réussite de vos présentations.

Réfléchissez-y : que savez-vous ? Faites-vous plaisir dans vos conversations sociales, avec vos amis, vos collègues ou votre famille ? Pouvez-vous raconter des histoires, des blagues ou faire des imitations ? Avez-vous la présence d'esprit et savez-vous utiliser de fines ironies pour rendre l'environnement plus détendu ? Quoi qu'il en soit, que savez-vous faire d'intéressant?

Ce sont ces compétences que vous utilisez si naturellement dans la vie de tous les jours qui vous serviront de ressource. pour donner au spectacle la juste mesure, selon les besoins de la circonstance et le type d'auditeur qui sera devant lui. Vous n'aurez pas besoin de faire quoi que ce soit de différent de ce que vous savez déjà, utilisez simplement un peu plus ou un peu moins de "piquant" selon la situation.

Maintenant, une autre information curieuse : vous ne pouvez pas imaginer le nombre d'étudiants que j'ai formés qui se considéraient comme des cas désespérés. car ils n'avaient aucun attribut qui les rendrait stimulants devant le public ! Dans presque tous les cas, il était possible de découvrir des capacités dormantes, attendant une bonne occasion d'être exploitées.

La plupart n'étaient pas conscients des choses positives qu'ils pouvaient produire avec leur communication. D'autres, par complaisance, ont préféré dire qu'ils ne savaient rien faire juste pour éviter de s'exposer.

C'est peut-être aussi le cas pour vous. Alors, regardez les conversations que vous avez habituellement avec les personnes les plus proches de vous, ce qui fonctionne pour les garder intéressés lorsque vous parlez. Même en imaginant le pire des cas, je peux garantir qu'il y aura toujours du temps pour apprendre.

Commencez par raconter des histoires courtes aux personnes les plus proches de vous, de préférence votre famille. Améliorer le récit jusqu'à ce que vous sentiez que vous avez le contrôle total de ce que vous allez dire, avec un début, un milieu et une fin.

Il n'est pas nécessaire que ce soit quelque chose de très sophistiqué, n'importe quelle histoire courte et intéressante fera l'affaire pour cette phase d'apprentissage. Lorsque vous maîtrisez le premier, passez au second, au troisième, jusqu'à ce que vous parveniez à constituer un répertoire qui vous aide à monter le spectacle dont vos présentations ont besoin pour réussir.

Il vaut la peine d'investir dans l'amélioration de ces ressources, ce qui garantira d'excellents résultats pour votre communication. J'espère que vous découvrirez ce que vous faites le mieux et que vous commencerez à explorer ce potentiel chaque fois que vous aurez besoin de parler en public.

Si vous devez parler dans peu de temps, utilisez une histoire que vous avez racontée à la maison ou dans un cercle d'amis. Celui que tu connais et ressens déjà plus à l'aise pour le développer. Pour justifier l'histoire dans votre présentation, n'oubliez pas de l'aborder dans le contexte du thème à exposer.

A LIRE EN MOINS D'UNE MINUTE

- Découvrez ce que vous faites le mieux et utilisez-le dans vos présentations. Pouvez-vous raconter des blagues ou des histoires intéressantes ? Peut-on faire des imitations ? Apportez ces compétences aux auditeurs. c'est le spectacle ce dont votre présentation a besoin pour réussir.

- Entraînez-vous à raconter des histoires intéressantes à vos amis et à votre famille. Ces situations sont les mieux adaptées pour tester ces ingrédients spectaculaires. S'il fonctionne dans les cadres les plus intimes, il peut aussi fonctionner devant des auditeurs.

- Sachez doser le spectacle en fonction du type de public que vous aurez devant vous. Combien Plus le public est nombreux et inculte, plus le spectacle sera spectaculaire. Plus le public est petit et instruit, plus le spectacle doit être modéré.

16

L'ECOUTE EST IMPORTANTE.

PARLEZ AUSSI.

Il y a un texte très réussi de Rubem Alves, intitulé « Escutatória – ou le silence comme nourriture », qui est admirable. La plume brillante de l'écrivain nous amène à réfléchir sur l'importance du silence, sur la façon dont on peut apprendre sans parler et aussi sans écouter, juste laisser le silence extérieur trouver notre silence intérieur.

L'auteur commence son texte en commentant qu'il voit toujours des cours de prise de parole en public annoncés, mais qu'il n'écoute pas. Tout le monde veut apprendre à parler, mais personne ne veut apprendre à écouter.

Dans ses réflexions, il révèle : « Le silence de l'extérieur ne suffit pas. Il faut du silence à l'intérieur. Absence de pensées. Et puis, quand il y a le silence à l'intérieur, nous commençons à entendre des choses que nous n'avons pas entendues. C'est sans aucun doute une occasion d'apprendre. Sans oublier que, lorsque nous nous taisons après que l'autre a parlé, nous montrons également du respect et de la considération pour ce que nous entendons.

Savoir écouter, c'est donc respecter l'autre ; c'est l'occasion d'apprendre et de se retrouver. Si savoir écouter est si important, pourquoi certains gars n'écoutent pas? Parmi les diverses raisons, il y a la vanité, l'orgueil, l'arrogance et même le fait que beaucoup ne sont pas conscients de l'importance d'écouter, de se consacrer à l'écoute de l'autre.

Rubem Alves était théologien, philosophe et psychanalyste, et il n'est pas surprenant qu'une partie de ses conclusions soient nées pendant la période où il était dans un monastère suisse. Selon son récit, là, pendant aux repas, on parlait peu. Et dans les liturgies auxquelles il participait trois fois par jour, le silence était absolu. Ainsi, il était ravi de l'environnement silencieux. Ne pas avoir l'obligation de parler aux voisins de table en mangeant lui procurait des moments de bonheur. La manière compétente avec laquelle il a décrit le scénario calme, paisible et confortable de cette expérience transporte le lecteur pour un climat de paix et de bien-être. A la fin de la lecture, impossible de ne pas tomber amoureux du silence.

Un autre auteur, le Belge Maurice Maeterlinck, prix Nobel de littérature en 1911, évoque lui aussi magistralement l'importance du silence. Dans son ouvrage *Le Trésor des humbles* , publié en 1896, il raconte : « On dirait que son âme n'a pas de visage. Nous ne nous sommes pas encore rencontrés, écris-moi quelqu'un que j'aimais beaucoup; nous n'avons pas encore eu le courage de nous taire ensemble."

Le dicton « les mots sont d'argent et le silence est d'or » semble prendre de nouvelles significations dans son texte. Selon l'auteur, « la parole est de l'époque ; le silence est de toute éternité ». Il a en outre ajouté que « les abeilles ne travaillent que dans l'obscurité ; pensé, en silence; et la vertu, en secret ».

Cependant, méfiez-vous! Bien que il n'y a aucun doute sur l'importance du silence et la pertinence de savoir écouter, la vie ne récompense généralement pas ceux qui ne font qu'écouter et se taire. Selon les fonctions que vous remplissez ou avez l'intention de remplir, les gens ne s'attendent pas à ce que vous entriez et sortiez silencieusement, par exemple lors d'une réunion importante. On s'attend à ce que vous disiez quelque chose. Et quelque chose de pertinent.

Même si vous n'avez rien à dire, écoutez attentivement. ce dont ils débattent et faire quelques commentaires sur les sujets en discussion. De cette façon, sans être silencieux quand vous devriez parler, vous serez intéressé et participatif.

Le secret est de connaître le moment le plus propice pour écouter, se taire et parler. Si vous apprenez à parler au bon moment et savez écouter et vous taire au bon moment, vous découvrirez l'équilibre dont vous avez besoin pour établir des relations et bien communiquer avec les gens. Entrez dans la réunion ou la présentation en sachant qu'écouter est tout aussi important que parler.

A LIRE EN MOINS D'UNE MINUTE

- Ne parlez que lorsque c'est nécessaire. Quiconque parle au-delà de ce qui doit être dit devient désagréable et peut faire des compromis.

- N'oubliez pas de dire ce qui est nécessaire. Qui ne dit pas ce qui doit être dit, il risque de perdre de précieuses opportunités de se projeter tant dans les relations sociales que dans les contacts de la vie de l'entreprise. Si vous occupez une position hiérarchique importante, l'attente de vos pairs, supérieurs et subordonnés est que vous ne restiez pas silencieux dans une réunion, mais que vous participiez, contestiez et fassiez des suggestions.

- Comprendre l'importance du silence et ressentir le plaisir d'être immobile. Apprendre se taire au bon moment est un art qui se cultive.

- Savoir écouter. Savoir parler. C'est l'équilibre parfait dans la communication.

17

PRÉSENTATIONS DE BOSS

À L'AIDE D'AIDE VISUELLES

La présentation d'un subordonné au patron a ses particularités. Le patron ne tolère généralement pas les conneries et exige de l'objectivité. Cette histoire d'étirement de l'exposition avec trop de détails peut ne pas bien fonctionner. En particulier si les aides visuelles entrent en jeu.

Au bout de trois ou quatre écrans, la patience s'épuise et la phrase plus ou moins standard apparaît : « Comment ça va ? Cela prendra-t-il beaucoup de temps pour en venir au fait ? » Ou, lorsque la direction se la coule douce : "Peut-être pourrions-nous sauter ces étapes intermédiaires et nous mettre au travail tout de suite ?"

Voici donc une astuce spéciale concernant la séquence appropriée projection sur écran : montrez une diapositive avec un résumé de toutes les informations que vous allez exposer tout de suite. Par exemple, dans une présentation sur un certain investissement, le premier écran doit contenir les coûts, les revenus, le revenu net et le temps nécessaire au retour sur investissement.

Avec cette information en main, il est naturel que le patron veuille savoir comment le subordonné est arrivé à ce résultat. Ainsi, les diapositives avec les phases initiales de l'étude peuvent être affichées ci-dessous, calmement et sans aucune perturbation.

Une présentation avec des visuels bien travaillés n'est pas synonyme de sophistication. Au contraire : des diapositives aux couleurs et aux sons exubérants, ou avec des changements « acrobatiques » d'images, peuvent donner au patron l'impression que le subordonné a perdu plus de temps à montrer les compétences d'utilisation du ressources technologiques qu'avec le contenu du message.

Afin que les ressources visuelles soient préparées correctement et efficacement, sans manque ni excès, suivez ces directives :

1 – Entrez un titre.

2 – Faites des sous-titres.

3 – Écrivez en lettres bien lisibles – préférez les polices Arial et Tahoma, dans une taille supérieure à 20 points.

4 – Ne dépassez pas trois tailles différentes de polices.

5 – Créez des phrases courtes en vous limitant à sept mots par phrase.

6 – Utilisez peu de lignes, en vous limitant à sept.

7 – Utilisez un maximum de quatre couleurs.

8 – Présentez une seule idée sur chaque diapositive.

9 – N'utilisez que des illustrations pertinentes. Un sur chaque diapositive devrait suffire.

10 – Supprimez tout ce qui est inutile ou incompatible avec le message.

Vos subordonnés ont de plus en plus de liberté pour communiquer et s'exprimer, sans crainte, avec leurs patrons. Même ainsi, aussi confortable que vous soyez en présence de votre supérieur, il est clair qu'il peut y avoir un certain inconfort. Après tout, l'hésitation ou la nervosité, courantes chez ceux qui parlent en public ou dans des situations plus formelles, peuvent mettre votre avenir professionnel en jeu.

savoir interagir avec l'interlocuteur et l'utilisation des informations projetées sur l'écran est fondamentale pour faire preuve de sécurité et de détente. Suivez ces cinq étapes pour augmenter vos chances de succès :

1 – AVISER : dites au patron que vous allez projeter l'information. Par exemple : "Je vais maintenant vous montrer le plan de vente pour le prochain semestre."

2 – CONCEPTION.

3 – REGARDEZ : après avoir projeté, regardez dans la direction du l'écran pour indiquer où l'appelant doit se concentrer.

4 – COMMENTAIRE : toujours en regardant l'écran, faire un petit commentaire.

5 – EXPLIQUER : procéder à l'explication naturelle des informations projetées, en gardant un contact visuel avec l'interlocuteur.

Un message n'a pas toujours besoin d'une ressource visuelle pour être transmis. Il doit être utilisé pour atteindre ces trois objectifs : mettre en évidence les informations importantes, faciliter le suivi du raisonnement et permettre à l'auditeur de retenir les informations plus longtemps.

Important : soyez bien préparé à parler en utilisant des aides visuelles, mais soyez encore plus préparé à présenter sans elles. Les occasions où des problèmes surviennent avec l'équipement ne sont pas rares. Dans ces cas, il est essentiel que la présentation soit faite de la meilleure façon possible, même sans leur aide. Lisez le chapitre 20, « Se passer de visuels et gagner du temps ».

A LIRE EN MOINS D'UNE MINUTE

- N'utilisez des aides visuelles que lorsque vous souhaitez mettre en évidence des informations importantes, faciliter le suivi du raisonnement des interlocuteurs et permettre une mémorisation plus longue des informations.

- Soyez prêt pour parlez sans aide visuelle si vous avez un problème avec la projection.

- Soyez objectif, surtout dans les présentations aux supérieurs.

- Pendant les présentations, évitez de regarder l'écran tout le temps, dos aux auditeurs.

- Annoncez ce que vous allez projeter, projetez-le, regardez l'écran, faites un bref commentaire et, en regardant les auditeurs, expliquez-le naturellement les informations projetées.

- Pour produire un bon visuel, utilisez la règle 7x7 : pas plus de 7 mots par ligne. Un maximum de 7 lignes par projection.

18

LE BON DISCOURS DU PATRON AU SUBORDONNÉ

Nous venons de voir quelques considérations sur la façon dont le subordonné, à l'aide d'aides visuelles, doit faire des présentations aux supérieurs. Vous avez noté l'importance de l'objectivité, d'aller droit au but, sans fioritures.

Dans ce chapitre, je vais inverser les postes. Je veux discuter de la façon dont le patron devrait s'y prendre pour parler au subordonné. Bien que les aspects esthétiques liés à la voix, au vocabulaire et à l'expression corporelle soient les mêmes, la manière de transmettre le message présente des caractéristiques diverses et particulières.

Le respect doit être le même en toutes circonstances. Tout comme, en public, le subordonné ne doit pas contredire gratuitement le De l'avis du patron, le patron doit faire attention à ne pas gronder le subordonné devant les autres employés.

Dans le premier cas, le patron peut se sentir diminué et son autorité compromise face au groupe. Dans le second, le subordonné peut se sentir humilié et gêné devant ses collègues. Aller à l'encontre de l'avis du patron ou attirer l'attention du subordonné sont des situations qui nécessitent conversations privées.

A ces points s'ajoutent d'autres plus complexes qui appellent à la prudence, s'écartent un peu du contenu lui-même et portent sur la manière de faire passer le message. Comme je l'ai dit au début du chapitre, je vais me concentrer sur certains aspects de la communication patron-subordonné.

Peut-être savez-vous déjà que la promesse de brièveté est l'un des outils les plus puissants pour briser la chaîne. résistance des auditeurs à l'environnement. Si les gens sont fatigués, pressés, mal à l'aise ou se sentent obligés de rester dans le lieu de la présentation, promettre que ce sera bref est un excellent moyen de conjurer ce genre de résistance.

La règle est claire : la promesse de brièveté doit être subtile et montrer clairement le bénéfice pour les auditeurs.

ça doit être subtil car, si un orateur dit seulement qu'il sera bref, peut-être que les auditeurs ne croiront pas beaucoup ses paroles. Après tout, tant d'orateurs ont déjà fait une telle promesse et ne l'ont pas tenue que cette fonctionnalité est quelque peu tombée en discrédit. Dès lors, l'idéal est que l'orateur dise, par exemple, que pour clore les débats de l'événement, le point qui manque pour clore le raisonnement doit être traité d'un coup de pinceau rapide. ou avec une très brève réflexion.

Il doit montrer clairement l'avantage pour les auditeurs, afin de ne pas donner l'impression que l'orateur ne veut pas parler au groupe. Par conséquent, il est recommandé de dire, par exemple, que cela ne fera pas perdre beaucoup de temps au public car vous savez que tout le monde a travaillé dur toute la journée et a besoin de se reposer.

La question devient plus délicate. lorsque le locuteur est le supérieur hiérarchique. Cela n'aurait pas de sens que le vice-président de l'entreprise se soucie de ne pas consommer trop de temps au profit des managers et superviseurs qui participent à la réunion. En plus de ne pas être normal d'avoir ce genre de soucis, selon les circonstances, leur autorité peut être affaiblie face au groupe.

La présence du patron, cependant, ne sera pas le climatiseur le moins bruyant, la température la plus agréable ou les rendez-vous disparaissent de l'agenda. La situation appelle une issue diplomatique et intelligente. Dans ce cas, la promesse de brièveté doit être faite presque imperceptiblement, mais suffisamment clairement pour dissiper les résistances.

L'orateur pourrait dire, par exemple, « Je veux parler brièvement de les critères de contrôle qualité » ou « je vais parler un peu des plans de diversification ». En déclarant que vous allez parler brièvement ou peu d'un certain sujet, bien que la promesse de brièveté soit sous-entendue, vous donnerez l'impression que vous ne parlerez que le temps nécessaire pour que le sujet soit clarifié. C'est une façon d'utiliser correctement la ressource pour atteindre votre objectif, sans le risque de conséquences négatives.

Une autre règle commune qui garantit un bon résultat au début de la présentation est de remercier les auditeurs pour leur présence à la réunion, car les gens se sentent accueillis et accueillis dans l'environnement. Cependant, compte tenu de l'exemple précédent, cette ressource doit également être adaptée, car il n'est pas naturel que le président ou le vice-président de l'entreprise appelle le réunion, puis manifestez votre intérêt en remerciant vos subordonnés pour leur présence.

Dans ces circonstances, l'attitude la plus appropriée est de féliciter chacun pour sa ponctualité dans le traitement de cette question très importante.

De cette façon, le patron valorise la présence des gens, une grande ressource pour gagner la bienveillance des auditeurs, et a leur attention dès le début lorsqu'il révèle l'importance de la sujet.

Le tout très simple et sans consommer presque aucune de vos précieuses 29 minutes de préparation.

A LIRE EN MOINS D'UNE MINUTE

- Ne réprimandez pas vos subordonnés en public. Ayez une conversation privée.

- Ne contredisez pas gratuitement le patron en public. Ayez une conversation privée.

- Même si le patron dit que cela ne le dérange pas d'être critiqué en public, résistez. Il n'est presque certainement pas sincère.

- Cherchez toujours la technique la plus appropriée pour chaque situation. Il n'est pas approprié, par exemple, que le patron convoque une réunion et commence par remercier tout le monde pour sa présence. Il est plus cohérent de valoriser le fait que tout le monde soit arrivé à l'heure. De même, il est inapproprié pour le président de l'entreprise de promettre de la brièveté à ses subordonnés. Dans ce cas, il est préférable dire qu'il va juste donner au groupe quelques informations pour clarifier la question.

- Quelle que soit la qualité de la technique, analysez la nécessité de l'adapter aux circonstances.

19

DES HISTOIRES QUI PEUVENT GÊNER

Je veux vous inviter à une réflexion extrêmement importante qui ne prendra pas beaucoup de votre temps. Il suffit juste de lire, de réfléchir et de choisir les meilleures histoires pour illustrer vos présentations.

Parlons de l'art de raconter des histoires. pas les histoires errant, solitaire, autosuffisant. Je veux discuter de ceux qui sont invités à participer à des seconds rôles – puisque le protagoniste doit toujours être le sujet, le thème de la présentation. Je tiens à mettre en garde contre le danger d'utiliser des récits inappropriés, qui peuvent faire dégringoler le spectacle.

Il fut un temps où la peste se limitait aux histoires apprises dans les cours oratoires. Les profs ils ont enseigné quelques petites fables et paraboles afin que les élèves puissent les utiliser comme modèles dans leurs illustrations dans les exercices en classe. Par commodité, nombre de ces étudiants ne les utilisèrent pas uniquement dans le cadre d'une formation à l'art de parler en public ; ils les ont dépassées, extrapolées, inscrites à leur répertoire et portées à leur suite en toutes circonstances. C'était les mêmes histoires dans les toasts baptêmes, soutenances de thèse de doctorat et même soirées. Il suffisait que quelqu'un raconte une histoire pendant une conférence et on entendait déjà le murmure dans l'auditorium, les commentaires sur le cours auquel cet orateur aurait dû apprendre le récit, qui n'avait rien d'original. Inutile de dire que ces histoires enlevaient tout le charme des performances.

Aujourd'hui, la source n'est plus les cours de l'oratoire. Il s'agit maintenant de la recherche personnelle des intervenants. Certaines personnes, sans grande créativité et sans scrupules, assemblent leur répertoire en écoutant et en copiant les autres, ou en se vautrant sur internet, sans considérer que le monde regarde les mêmes histoires.

C'est désespéré. Vous ne croyez pas que vous allez réentendre cette petite histoire, mais d'après l'intonation de l'orateur et la marche versé dans la diligence, il n'y a pas d'autre moyen : il entrevoit déjà cette perle dont la moitié du monde aime parler.

Quand c'est de l'auto-plagiat, vous pouvez toujours le prendre. Ce ne sera pas à moi, auto-plagier avoué et supposé, de lancer la première grenade, car en punition méritée, elle exploserait dans ma propre main. Je me réfère donc aux histoires que de nombreux orateurs racontent souvent.

le problème a frappé une dimension si inquiétante que deux collègues de la tribune racontent même la même histoire au même public lors d'un même événement – l'un le matin et l'autre l'après-midi. Comme celui qui parle l'après-midi ne sait pas ce que le collègue a dit le matin, il monte à bord d'un canot qui fuit et se noie.

Le matin, l'histoire était celle de deux hommes fuyant un lion, dont l'un s'arrêtait et enfilait ses baskets. L'après-midi, sont les deux mêmes en cours d'exécution, seulement d'un tigre. La séquence est pourtant la même : « Tiens, ça sert à rien de mettre tes baskets, tu ne pourras jamais distancer le lion/tigre. "Plus loin que le lion/tigre je ne courrai pas, mais plus vite que toi, oui !" Puis l'orateur de l'après-midi, sûr d'avoir raconté une histoire inédite, attend la réaction des auditeurs, mais ne peut percevoir, sans comprendre, que quelques visages bouleversés. Et il commence à se lamenter : "Où est-ce que je me suis trompé ?"

Comme je participe à des événements où plusieurs orateurs se succèdent, j'ai vu d'innombrables fois l'un d'eux écrire la bonne histoire que l'autre venait de raconter. Je me dis : "Celui-là va foirer, parce qu'il s'approprie une histoire qui sera peut-être racontée par cet intervenant dans d'autres circonstances."

Raconter des histoires dans des présentations, qu'il s'agisse de conférences, de conférences ou de simples cours, est une ressource de communication exceptionnelle. Pratiquement tous les orateurs qui ont un emploi du temps chargé et un bon salaire sont de bons conteurs. Moi-même, avant une conférence, je passe en revue non seulement le contenu, mais surtout les histoires que je vais utiliser pour tenter de rendre le message plus clair. c'est intéressant.

Cependant, si ce n'est pas une erreur, c'est certainement un très gros risque de raconter des histoires très connues, celles que préfèrent presque tous les orateurs publics. Les meilleurs sont ceux que vous avez expérimentés vous-même ou ceux que vous trouvez dans votre lecture de livres, de journaux et de magazines, ou que vous entendez dans des films, des pièces de théâtre et des conversations sociales.

Ce seront les vôtres, différents, et par conséquent, ils éveilleront l'intérêt et créeront de plus grandes attentes chez les auditeurs. Si, toutefois, vous décidez de raconter une histoire plus fatiguée, faites travailler votre créativité et donnez-lui un aspect nouveau et attrayant, de manière à ce que le public ait l'impression d'entendre l'histoire pour la première fois.

Rappelez-vous cependant qu'il ne suffit pas de changer le nom des animaux, car, dans cet art du conte, même si un lion est échangé contre un tigre, un animal reste un animal.

A LIRE EN MOINS D'UNE MINUTE

- Les histoires aident à illustrer les messages. En plus de faciliter la compréhension des auditeurs, ils rendent la présentation plus légère, plus aérée et plus attrayante.

- Évitez de compter les plus populaires. Si l'histoire est connue, il suffit de la mentionner, par exemple : "... comme cette histoire de princesse qui voulait rencontrer le prince ». De cette façon, vous l'utilisez comme illustration sans vous donner la peine de la raconter.

- Apprenez à recueillir des histoires que vous entendez dans des conversations ou que vous trouvez dans des lectures. Cela vaut la peine d'écrire les nouveaux pour constituer votre propre répertoire.

- N'utilisez que des récits qui peuvent être contextualisés, bien associés au message. Même si l'histoire ne s'intègre pas par lui-même, il est presque toujours possible de construire des ponts pour qu'il s'adapte au contexte.

20

ABANDONNEZ LES AIDES VISUELLES ET GAGNEZ DU TEMPS

Avez-vous déjà pensé à déchirer le livret, à être plus audacieux et à parler en public sans l'aide d'aides visuelles ? Il semble même irresponsable, surtout de nos jours, avec tant de technologie disponible, que quelqu'un fasse une présentation sans l'aide d'un équipement.

Les arguments en faveur des aides visuelles sont innombrables, à commencer par des recherches qui montrent des données impressionnantes : si nous faisons une présentation sans utiliser d'éléments visuels, après trois jours , les auditeurs ne retiendront que 10 % de ce qui a été dit. Si la même exposition est faite à l'aide d'aides visuelles, après la même période de temps, le public se souviendra de 65% du message transmis. C'est une différence tellement extraordinaire que contredire ces chiffres, à première vue, semble insensé.

Sans oublier que ces visualisations rendent la présentation plus légère, plus intéressante et plus convaincante. Retenir l'attention des auditeurs pendant environ une heure est une tâche qui demande de l'habileté, de la compétence et des capacités de communication exceptionnelles. Ce travail est généralement facilité par le l'utilisation d'aides visuelles.

Pour ces raisons et d'autres, presque tout le monde les utilise dans leurs présentations. Principalement, comme nous l'avons vu, grâce aux facilités offertes par la technologie. C'est simple : même avec des compétences informatiques limitées, n'importe qui peut créer de bons visuels.

Et maintenant la grande nouvelle : certains des meilleurs orateurs ont commencé à affronter des publics à cœur ouvert, sans aucune aide visuelle comme support. Et avec des résultats extraordinaires. Ils commencent et terminent leurs présentations face à face, sans projeter un seul écran.

Et où sont les avantages de parler en public de cette façon, si cette attitude semble être un pas en arrière ? Le bénéfice est dans la surprise, dans l'insolite, dans l'inattendu. Comme les auditeurs se sont habitués à regarder les présentations qui utilisent des éléments visuels comme support, sont intriguées par l'apparition d'un intervenant innovant, transgressant cette règle.

Le public peut se demander : "Comment va-t-il retenir l'attention du public et développer le message du début à la fin sans utiliser au moins quelques diapositives ?" ou "Ne va-t-il pas se perdre ou compromettre l'intérêt des auditeurs ?" peut envisager que parler sans aucun support visuel est une sorte de saut de trapèze, et sans filet de sécurité. Pour les auditeurs, quelqu'un qui prend l'initiative d'agir de cette manière non protégée a le contrôle total de l'affaire. Et en plus : c'est très bien sur scène.

Un autre point en faveur des présentations sans aides visuelles est la simplicité de l'orateur. Au fur et à mesure que vous développez votre cheminement de pensée, il peut sembler à l'auditeur que, sans support, l'information naît dans l'instant, là, devant le public.

Cela fonctionne comme une conversation dans laquelle les sujets se succèdent naturellement, au gré de l'interactivité. Le public admire encore plus la performance de l'orateur.

Mais, si vous avez compris qu'il suffit de se passer des éléments visuels, d'aller devant le public et de célébrer le succès de la présentation, vous vous précipitez. Innover ne signifie pas être irresponsable. Il y a certains facteurs à considérer. Passons en revue chacun d'eux pour que vous preniez votre décision.

LE CONTENU. Pour parler sans aide visuelle, il faut avant tout maîtriser le sujet. Vous devez être tellement sûr du contenu que l'information vient naturellement du début à la fin. Ainsi, selon l'avancement de la présentation, vous pourrez modifier facilement la séquence d'exposition.

Comme il s'agira d'un vol en solo, il ne peut pas avoir de contenu limité. Vous avez besoin de matériel de rechange - pour remplacer ce que vous n'aimez pas ou pour étirer un peu plus si nécessaire. Le répertoire d'histoires devrait également être vaste, toujours avec de bonnes histoires en stock.

LE TEMPS. Les meilleurs résultats sans aides visuelles sont obtenus dans des présentations d'une durée maximale d'une heure et demie, en fonction, bien entendu, des circonstances de l'événement et de la prestation de l'orateur. Donc, si vous devez parler pendant plus d'une heure et demie, vous ne voudrez peut-être pas abandonner complètement cette fonctionnalité.

LE SPECTACLE. Ce qui attire les auditeurs dans une présentation, ce n'est pas seulement le contenu, mais aussi, et dans bien des cas principalement, le spectacle, le spectacle. Dans l'ensemble, les visuels sont parfaits pour promouvoir le spectacle dans votre présentation. Sans eux, il faudra trouver de bons substituts.

Chaque orateur doit trouver et utiliser ce qu'il a de mieux pour introduire un petit spectacle dans sa présentation, comme je l'ai déjà couvert au chapitre 15 "Votre communication devrait être un spectacle". Certains savent faire des imitations, d'autres racontent des histoires ; il y a encore ceux qui ont la capacité d'utiliser la présence d'esprit ou d'interagir avec les auditeurs. Identifiez vos meilleures compétences et utilisez-les pour garder votre public engagé et intéressé.

LE MOUVEMENT. En plus d'interagir avec les auditeurs, déplacez occasionnellement l'attention de votre auditoire. Au moins toutes les 10 minutes, changez de position devant le public. Déplacez-vous parmi les personnes, quittez un côté de la salle et allez à un autre point. Basculez le volume de la voix et le débit de parole.

LES PAUSES. La pause est séduisante. Lorsqu'il est fait au bon moment, il valorise l'information transmise, démontre la maîtrise du sujet et crée des attentes sur ce qui sera dit ensuite. Après chaque bloc d'informations pertinentes, faites des pauses plus longues. Cela fait partie du spectacle.

LE NOUVEAU. Même en se déplaçant devant un public, après un certain temps, les gens auront du mal à suivre et à se concentrer sur votre raisonnement. Arrêtez ce que vous dites et racontez une histoire courte et intéressante pour distraire les auditeurs et leur permettre de se recentrer.

FORME PHYSIQUE. Les présentations sans l'aide d'aides visuelles sont plus fatigantes. Beaucoup plus. Pendant la projection des diapositives et des films, l'orateur se repose, récupère, boit une gorgée d'eau. Sans eux, vous serez actif et concentré tout le temps. Si vous choisissez de parler sans ces fonctionnalités, sachez qu'il s'usera et consommera plus d'énergie.

HUMOUR ET HISTOIRES. De toutes les recommandations que j'ai faites, les deux plus importantes sont l'humour et les histoires. Vous ne pourrez guère garder la concentration du public sans utiliser d'aides visuelles si vous n'êtes pas humoristique et ne savez pas comment raconter des histoires.

Faites juste attention à ne pas en faire trop. Trop d'histoires et de gentillesse gênent. Notez également le thème et le but de la présentation. Dans certains cas, l'humour n'a pas sa place et les histoires doivent être très bien contextualisées pour ne pas heurter.

Vous n'êtes pas obligé d'utiliser ou d'arrêter utiliser les aides visuelles. Le succès ou l'échec de la présentation sera toujours votre responsabilité. Réfléchissez donc bien avant de vous décider. Si, toutefois, cela ne vous avait même pas traversé l'esprit de parler sans ce soutien, cela vaut la peine de réfléchir sur le sujet. Sans oublier que, aussi simple que soit l'élaboration d'éléments visuels, elle consomme toujours du temps. Pour ceux qui n'ont plus que 29 minutes à faire, rejetez cette fonctionnalité ou du moins la réduction du nombre d'écrans peut faire gagner de précieuses minutes.

Qui sait, peut-être ne trouverez-vous pas dans ce changement le résultat que vous recherchez pour améliorer vos présentations ? Considérez également que rien ne doit être définitif. Faites le test. En cas de doute, laissez tout mis en place pour une urgence. Si vous ne le faites pas seul, les aides visuelles seront là pour vous renflouer.

A LIRE EN MOINS D'UNE MINUTE

- Pensez à la possibilité de parler sans le support d'aides visuelles.

• Surveillez les bons orateurs qui parlent sans le soutien de ces ressources. Vous verrez que pour remplacer le spectacle des projections ils utilisent avec plus d'emphase l'humour, les histoires, les nouvelles, l'interprétation spectaculaire, les pauses expressions et mouvements physiques.

• Commencez à parler sans visuels dans de courtes présentations.

• Au début, réduisez simplement le nombre d'aides visuelles. Ne prenez pas cette décision comme tout ou rien. Vous pouvez maintenir une bonne interaction avec les auditeurs et obtenir d'excellents résultats simplement en réduisant le nombre d'écrans. N'éliminez entièrement les visuels que lorsque vous êtes sûr que sa performance peut remplacer le spectacle des projections.

• Découvrez et perfectionnez ce que vous faites le mieux pour captiver le public.

21

NE SOYEZ PAS VERBEUX.

PARLEZ OBJECTIVEMENT.

Êtes-vous verbeux? Cela prend-il du temps de dire ce qui pourrait être communiqué rapidement ? Comprenez les raisons qui vous poussent à parler autant et trouvez le moyen de vous débarrasser de ce problème très grave à un moment où les gens n'ont pas le temps et, parfois, ni la patience d'écouter des conversations prolongées.

La vanité intellectuelle est ce qui, la plupart du temps, rend quelqu'un prolixe. Certains individus ne peuvent résister à la tentation de montrer leurs connaissances et de révéler leur éclat intellectuel. Il suffit que le sujet ait au moins une connexion à distance avec quelque chose qu'il domine, et il n'aura aucun scrupule à verser toute cette connaissance dans le message.

UN la conversation, ou la présentation, devient comme un arbre, avec des branches dans toutes les directions. Il suit un certain cours et change de cap à mi-chemin pour inclure une nouvelle information, puis une autre, puis une autre, de telle sorte que les auditeurs ne peuvent plus suivre le raisonnement. Parfois, même celui qui parle ne peut pas s'organiser.

Cependant, parler objectivement ne signifie pas cela signifie nécessairement dire peu, mais dire tout ce qui est nécessaire, réaliser ce que vous voulez dans les plus brefs délais.

Pour que vous appreniez à être objectif, j'ai listé 10 conseils très pratiques. Ce sont des directives simples qui vous aideront à vous préparer en quelques minutes.

1 – DELIMITER LE SUJET. En général, les sujets sont complets et composés de plusieurs aspects. Par conséquent, pour étant objectif, il est important de savoir quel aspect est le plus pertinent pour l'exposition que vous souhaitez faire.

2 – SÉLECTIONNER LES ARGUMENTS IMPORTANTS. Pour être objectif, il est nécessaire de n'inclure que les arguments les plus pertinents, en laissant de côté ceux que vous jugez fragiles ou incohérents.

3 – NE PAS RÉPÉTER L'ARGUMENTATION. Aussi important que soit l'argument, réprimez l'envie de le répéter trop de fois. En plus de courir le risque d'affaiblir l'argumentation, vous pourriez être considéré comme prolixe.

4 – DITES-MOI DE QUOI EST LE SUJET. Révélez le sujet et le résultat de votre présentation dès le début. Pour paraître objectif, vous ne pouvez pas garder de secrets pour le public – plus tôt vous parlerez des conclusions auxquelles vous arriverez, mieux ce sera.

5 – CLARIFIEZ LE PROBLÈME QUE VOUS VOULEZ RÉSOUDRE. Un ou deux phrases suffisent pour indiquer de manière compréhensible quel est l'objet de la résolution à proposer. Si le sujet est nouveau pour le public, vous aurez peut-être besoin d'un aperçu rapide.

6 – PRÉSENTEZ LA SOLUTION. Sans reprendre le problème déjà posé, présentez la solution. À ce moment, évitez de divaguer; être direct dans l'exposition des arguments.

7 – UTILISEZ UNE ILLUSTRATION. Si vous avez besoin de clarifier la solution présentée, utilisez une illustration. Évitez cependant les fables et les paraboles ; privilégier les histoires concrètes, issues de la vie en entreprise. Ils servent d'argument et donnent de l'objectivité.

8 – SOYEZ COURT DANS L'INTRODUCTION. Remercier les gens d'être venus ou de les avoir invités à prendre la parole est une façon simple et efficace de commencer. Comme vous avez besoin de faire passer l'idée que vous serez objectif, dites-le vite d'abord aussi qu'il sera rapide dans ses explications.

9 – SOYEZ PLUS COURT DANS LA CONCLUSION. Une fois la présentation terminée, ne revenez pas sur les points déjà abordés ; sauter immédiatement à la fin. Une excellente expression pour conclure est "J'espère que...". À partir de là, vous pouvez demander aux auditeurs de réfléchir ou d'agir.

10 – REGARD OBJECTIF. Être objectif est important, mais *apparaissant* objectif pourrait aider encore plus. Alors, ne vous souciez pas de dire peu de choses; concentrez-vous sur l'obtention, dans les plus brefs délais, de tout ce que vous voulez. Même si pour cela il faut en dire un peu plus.

A LIRE EN MOINS D'UNE MINUTE

- Racontez le résultat de votre présentation dès le début. C'est une attitude importante pour démontrer que vous voulez vraiment être objectif.

• Utiliser des histoires vraies de la vie d'entreprise pour illustrer ce que vous dites. Des exemples tirés de l'activité elle-même et de l'entreprise renforcent l'argumentation, apportent de l'objectivité et aident à clarifier le message.

• Dès le début, promettez d'être bref. Et cherchez à tenir cette promesse. Même s'il n'y a pas de résistance de la part des auditeurs, ils aiment savoir que la présentation ne prendra pas beaucoup de temps.

• N'incluez pas d'informations inutiles juste pour montrer vos connaissances.

• Soyez bref, mais ne vous souciez pas d'en dire peu. Être objectif ne signifie pas nécessairement dire peu, mais dire tout ce qui est nécessaire pour réaliser, dans les plus brefs délais, ce que vous voulez.

22

CINQ RÈGLES POUR ÊTRE UN BON CONVERSATEUR

Pour bien parler, vous pouvez suivre cinq règles très simples. Si le temps le permet, suivez le dialogue hypothétique ci-dessous. Cependant, si vous avez besoin de parler à quelqu'un rapidement, prenez vos 29 minutes et passez directement à la première règle.

dialogue hypothétique :

- Je suis un mauvais parleur.

– Petite ruine comment ?

– Oh, personne ne fait attention à ce que je dis.

– Et ce que vous dites est intéressant ? Souhaitez-vous écouter quelqu'un qui parle comme vous?

- Quoi de neuf. Je pense que tout le monde parle de la même manière. Je n'avais jamais pensé à ça.

« Alors, voyons si vous suivez les cinq règles de base d'une bonne conversation.

– Wow, et depuis quand tu parles il y en a cinq Règles de base?

PREMIÈRE RÈGLE : SAVEZ-VOUS ÉCOUTER ?

- Oh arrête! Écouter, c'est juste... écouter. Parfois, je ne fais pas attention, mais j'écoute.

– Ouais, écouter ce n'est pas seulement regarder l'interlocuteur avec le visage d'un hibou. Il est nécessaire de donner des signes que vous suivez la conversation, comme un hochement de tête, avec de légers mouvements du sourcil, pour montrer la surprise, la solidarité, l'attente. Utilisez également des mots et des expressions d'encouragement, tels que "Est-ce vrai?", "Quoi de neuf?", "Je n'arrive pas à y croire!". Veillez à ne pas montrer que vous ne pouvez pas attendre que l'appelant ait fini de parler pour pouvoir dire ce que vous voulez.

- J'ai compris. J'échoue à la première règle. Et le deuxième?

DEUXIÈME RÈGLE : SAVEZ-VOUS RACONTER DES HISTOIRES COURTES ET INTÉRESSANTES ?

– Je peux dire en toute certitude : non.

– Alors commencez à collecter des histoires courtes et intéressantes. Notez-le dans un cahier afin de toujours vous en souvenir. Chaque fois que vous entendez une bonne histoire, enregistrez-la. Et dites-le tout de suite à quelqu'un. Ainsi, en plus de perfectionner le récit, il sera plus facile de le stocker. Soyez toujours attentif à la musique, à la littérature, à l'art, au tourisme, au cinéma et au sport. Ce sont des sujets qui sont généralement populaires. Attention pour ne pas trop en dire ! Les gens verbeux sont insupportables. Aussi, ne voulez pas faire le tour des classes d'enseignement, comme si vous étiez un enseignant. Personne ne supporte les gens intelligents.

- Ça peut être fait. Et la troisième règle ?

TROISIÈME RÈGLE : ÊTES-VOUS plein d'esprit, plein d'humour ?

- Parfois. Je suis paresseux pour faire des blagues.

- Vous n'êtes pas obligé et ne devriez pas jouer le bouffon de la cour. Mais une conversation intéressante il faut l'arroser de la légèreté des tirades spirituelles. Cela vaut la peine de s'entraîner. L'autodérision fonctionne principalement. Certaines personnes sont gênées et même ennuyeuses lorsqu'elles essaient de plaisanter. Si, après quelques expériences, vous vous rendez compte que c'est votre cas, mieux vaut ne pas s'y risquer. Laissez les blagues de côté.

- Je vais essayer. Je pense que je peux être un peu plus léger et plus humoristique.

QUATRIÈME RÈGLE : VOUS SAVEZ POSER DES QUESTIONS ?

« Et depuis quand y a-t-il une bonne manière de poser une question ?

– C'est la deuxième règle la plus importante d'une bonne conversation. Ceux qui ne savent pas comment demander ne peuvent pas entretenir des conversations intéressantes. Il existe deux types de questions : fermées et ouvertes. Nous posons des questions fermées pour démarrer une conversation ou changer de sujet. Par exemple, « Qui ? » (« O Zé Roberto »), « Quand ? ("En début d'année"), "Où ?" (« Au restaurant végétarien »). Remarquez à quel point les questions fermées encouragent des réponses rapides et précises.

– Qu'en est-il des questions ouvertes ?

– Ils incitent l'interlocuteur à parler davantage. Par exemple, « Comment ? », « Pourquoi ? », « De quelle manière ? ». Notez que les questions ouvertes ne permettent pas seulement oui ou non, vrai ou faux comme réponses. Ils forcent la personne à élaborer plus de raisonnement.

– Et quelle est la règle la plus importante ? Vous avez dit que savoir poser des questions était la deuxième chose la plus importante.

– Oups, j'ai créé des attentes en toi. Soit dit en passant, je ne l'ai pas mentionné comme l'une des règles, mais la construction d'anticipation est une fonctionnalité que vous pouvez également ajouter au package.

– Oui, tu as piqué ma curiosité, quelle est la règle la plus importante ?

CINQUIÈME RÈGLE : VOUS ÊTES-VOUS VRAIMENT INTÉRESSÉ PAR LA PERSONNE À QUI VOUS PARLEZ ?

– Oh, pas toujours, pourquoi ?

– C'est la règle la plus importante. Intéressez-vous vraiment aux gens. Peu importe à quel point vous interprétez, faites semblant d'aimer ou de vous soucier, il arrive un moment où l'interlocuteur se rend compte que vous n'êtes pas authentique. Il découvre qu'il essaie seulement d'être politique. Puis la bonne conversation a pris fin. Ils ne parleront que avec vous s'ils veulent profiter d'une sorte d'avantage. Pour bien communiquer, vous devez avoir cet intérêt véritable, sans prétention.

- Tu as raison. Suivre ces règles ne semble pas si difficile. Je connais déjà la plupart d'entre eux, j'avais juste besoin d'être alerté. Maintenant, c'est juste de la pratique.

A LIRE EN MOINS D'UNE MINUTE

- Soyez naturel. C'est l'une des règles les plus importantes pour quiconque veut avoir une bonne conversation.

• Démontrer une écoute avec intérêt. Utilisez des expressions faciales ou des mots qui indiquent que vous suivez et êtes intéressé par la conversation.

• Apprenez à raconter des histoires courtes et intéressantes. C'est une combinaison importante, car, dans une bonne conversation, en général, il ne sert à rien qu'une histoire soit courte si elle n'est pas intéressante, ni qu'elle soit intéressante si elle n'est pas courte.

• Développez votre côté spirituel et humoristique. Ces fonctionnalités rendent les conversations engageantes et stimulantes.

• Posez des questions fermées ("qui ?", "où ?", "quand ?") ou des questions ouvertes ("pourquoi ?", "comment ?", "de quelle manière ?"), selon la direction que vous souhaitez prendre la conversation.

• Intéressez-vous sincèrement aux personnes à qui vous parlez.

23

APPRENEZ A ENGAGER UNE CONVERSATION DANS L'ASCENSEUR

Entrer en contact avec des personnes importantes est difficile. Ces personnes sont très occupées et sont entourées de secrétaires et d'assistantes qui agissent comme de véritables chiens de garde. La partie la plus compliquée de l'histoire est que, si vous avez une affaire sérieuse à résoudre, eux seuls peuvent décider.

Pour cette raison, un contact inattendu en dehors du siège où les gros bonnets séjournent habituellement pourrait signifier la solution de mois de tentatives infructueuses. Tout est très simple en théorie, n'est-ce pas ? C'est facile de dire "Allez-y et parlez à la bête". Cependant, quand vient le temps d'affronter le dragon, il faut avoir du cran. Je dirais plus, poitrine et technique. Toi qui es si Intéressé à apprendre à parler jusqu'à 29 minutes, vous découvrirez comment procéder pour transmettre un message complet en peu de temps.

À titre d'exemple, imaginez être dans l'avion où voyage également cette personne importante qui peut influencer l'approbation d'un grand projet qui a nécessité beaucoup de dévouement de la part de votre équipe. Le contact doit être très rapide, juste après l'embarquement ou à l'instant d'atterrissage, en passant près du fauteuil dans lequel elle est assise. Aucun mot ne peut être gaspillé, car le tir doit être précis.

C'est la réalité. Ceux qui prennent des décisions importantes sont presque toujours très occupés et n'ont pas le temps d'écouter longtemps une proposition, aussi pertinente soit-elle. Et savez-vous où cette communication rapide, objective, directe et charmante peut être formée et perfectionné ? Parmi les différentes options disponibles, l'une des plus pratiques, efficaces et, pourquoi ne pas dire, étrange est : dans l'ascenseur.

Tout le monde n'aime pas parler dans l'ascenseur. Certains esquivent même ces situations. Dans un premier temps, ils protègent leur espace en gardant le plus de distance possible avec les autres passagers. Ils commencent à s'installer dans les coins et n'utilisent l'espace central que lorsque tout le périmètre c'était déjà occupé. Ils ne regardent que le visage de l'autre lorsqu'ils se saluent, puis détournent le regard vers d'autres parties de cet espace confiné ou sortent leur téléphone portable pour trouver quelque chose avec quoi se divertir.

Peut-être à cause de la gêne presque générale observée dans les ascenseurs, certains spécialistes de l'étiquette comportementale conseillent de ne pas y parler. Cependant, pour notre propos, qui consiste à développer des techniques pour communiquer des messages complets et importants en quelques secondes, déchirons les rudiments de l'étiquette et faisons de l'ascenseur notre terrain d'entraînement.

Si vous parvenez à initier, développer et conclure une conversation agréable, amicale et engageante à l'intérieur de l'ascenseur - sur le chemin entre quatre ou cinq étages -, vous pourrez parler à la personne qui se trouve à l'intérieur. dans un avion, dans un salon d'aéroport, dans un restaurant ou en file d'attente au cinéma pour atteindre vos objectifs.

Pour commencer, dites bonjour. Bien que certains, dès qu'ils entrent dans l'ascenseur, saluent les autres passagers, la vérité est que tout le monde n'a pas cette attitude polie et cordiale. Ceux qui saluent, en général, le font avec réserve et sans sympathie. Je ne suggère à personne jouer au clown et aux commérages. Ce comportement est gênant et peut être considéré comme irrespectueux. Les gens peuvent avoir l'impression que leur vie privée est envahie.

La mise en route est la plus difficile. Après avoir salué, il faut engager rapidement la conversation, car le temps presse et toute hésitation peut égarer les gens et dresser des barrières pour votre démarche. Les commentaires informels sont les plus efficaces car ils caractérisent la séquence naturelle d'une conversation. Ainsi, si vous remarquez un sac de courses dans la main de l'autre passager, évitez de lui demander s'il est allé au supermarché. Prenez le fait pour acquis et dévoilez, par exemple, comment vous avez été surpris par la hausse des prix de certains produits ou la qualité de certains articles vendus par les supermarchés s'est améliorée. Faire des commentaires sur les objets que la personne transporte est le premier conseil pour démarrer la conversation.

Lorsque les gens partent ou arrivent, il est courant qu'ils transportent un certain type d'objet, comme des sacs de supermarché, des livres, des magazines, des appareils électroménagers, bref, des choses de tous les jours. En commentant ces objets, vous indiquez à l'interlocuteur que vous détenez des informations commun.

Si, après votre commentaire, la personne ne poursuit pas la conversation, alors posez une question en rapport avec le sujet pour l'inciter à parler. Par exemple, si vous avez avoué avoir déjà lu certains des livres de Cesar Romão , mais que vous n'avez toujours pas eu l'occasion de lire celui que la personne prend, et même ainsi, il est resté silencieux, vous pouvez lui demander s'il apprécie l'histoire. .

Utilisez les enfants comme thème pour motiver une conversation dans l'ascenseur. S'ils sont, là-dedans, fatigués ou somnolents, vous pouvez dire à quel point il leur est difficile de supporter l'agitation quotidienne . S'ils sont calmes, il est possible de parler de leur énergie et de leur tempérament. S'ils sont habillés pour une fête, dites-leur à quel point ils sont mignons dans cette tenue.

Évitez de commenter ou poser la question à l'enfant, car il est généralement renfermé ou timide et, au lieu de répondre, il se gratte la tête et marmonne avec irritation. Parlez-en à leurs parents ou à toute personne qui les accompagne.

Attention : si les parents grondent les enfants, ou si les enfants pleurent pour une raison quelconque, il est préférable de simplement sourire, de montrer de la sympathie et de la compréhension, et de rester toujours. Enregistrez la conversation pour la prochaine personne qui entre dans l'ascenseur.

Les heures de repas peuvent fournir de bons commentaires. On peut dire par exemple qu'après une intense journée de travail, avec le froid, rien de tel qu'une soupe avec du pain pour se remonter le moral, ou, s'il fait très chaud, rien de tel qu'une bonne salade pour se rafraîchir. et se sentir léger.

Le weekend, ça ne rate pas : il y a toujours quelqu'un qui arrive avec une boîte de pizza, prêt à la dévorer. Parler de ce trophée du dimanche est l'un des meilleurs moyens d'aborder le sujet qui vous intéresse.

Lorsque quelqu'un entre dans l'ascenseur portant un bouquet, parlez de votre goût pour les roses, les œillets, les orchidées. Dites que vous n'avez pas trouvé d'aussi belles fleurs et ne demandez pas si c'est un jour de fête ou si c'est un cadeau romantique. Les gens sont souvent gênés.

Il y a cette maladresse naturelle que les gens ont lorsqu'ils sont dans l'ascenseur, mais il y a aussi ces situations où l'agacement se produirait en toutes circonstances. Faites attention à ces réactions et ne faites pas de commentaires ou de questions sans conséquence.

En dehors de ces cas particuliers, n'hésitez pas, allez-y, apprenez à parler dans l'ascenseur et à court de sujets en peu de temps. Cette compétence bien entraînée vous aidera beaucoup lorsque vous aurez besoin de parler rapidement dans n'importe quelle situation et vous projettera comme une personne amicale, pleine d'esprit et communicative.

A LIRE EN MOINS D'UNE MINUTE

- En entrant dans l'ascenseur, saluez les passagers. Une salutation amicale peut rendre les gens plus accueillants.

- Parlez des objets qu'ils transportent. Les sacs d'épicerie, les livres et les gadgets électroniques sont des éléments qui aident à démarrer une conversation.

- Commentez les fleurs, mais sans demander qui sera ou a été présenté.

- Parlez du comportement des enfants accompagnés d'adultes. Il n'y a peut-être rien de mieux pour démarrer une conversation que de faire des commentaires sur les enfants. Les résistances disparaissent comme par magie lorsque quelqu'un les mentionne. Il n'est pas recommandé de demander quelque chose directement aux plus petits, qui, en général, sont distants devant les étrangers.

- Si les gens ne sont pas de bonne humeur, il n'y aura guère d'ambiance pour une conversation ; préfère se taire.

24

QUI RÈGLE SONT

LES AUDITEURS

Vous devez avoir entendu dire que Garrincha était aussi naïf qu'il était doué avec le ballon. Joueur irrévérencieux, enjoué, avec l'apparence de quelqu'un qui était toujours seul, il menait la vie comme s'il n'avait jamais grandi, avec une attitude enfantine insouciante et plus ou moins détachée. du monde.

C'est ainsi, se comportant comme s'il appartenait à une autre planète, qu'il a joué dans des histoires devenues immortelles. L'une des plus connues s'est déroulée en 1958, lors de la Coupe du monde en Suède, et sert toujours d'illustration pour expliquer les lacunes dans la conception des plans stratégiques.

Peu avant le match contre l'Union soviétique, l'entraîneur Feola a mis en place une tactique qu'il pensait être parfait pour gagner le match. C'était quelque chose de similaire à demander à Garrincha de dribbler autour de deux ou trois joueurs de la défense adverse, de croiser la tête d'un attaquant brésilien et de sortir pour célébrer le but.

Garrincha a écouté très attentivement et à la fin a posé la question la plus évidente et la plus lucide que l'on aurait pu poser : "Avez-vous déjà convenu avec votre adversaire de partir on fait tout ça ?

En communication, ce n'est pas très différent. Certains orateurs ont mis en place des présentations sans tenir compte de l'action des auditeurs, comme s'ils se comporteraient de la manière la plus favorable. Ce sont des moments où la même question pourrait être posée : "Vous êtes-vous adapté au public ?"

Lors de la planification d'une présentation, considérez d'abord les caractéristiques prédominantes du les auditeurs. Je dis prédominant car il est très difficile de trouver un public homogène. Cependant, aussi différentes que soient les personnes, il est toujours possible de percevoir des points communs. Ce sont ces caractéristiques qu'il faut prendre en compte.

Vous ne pouvez pas parler à un public composé de personnes sans instruction de la même manière que vous pouvez communiquer avec un groupe de haut niveau intellectuel. La communication avec de jeunes auditeurs, il ne peut pas non plus être utilisé de la même manière avec des auditeurs adultes. Tout comme il doit en être autrement si le public cible est composé de spécialistes d'un domaine donné ou de profanes.

Chacune de ces caractéristiques nécessitera un comportement approprié de votre part. Si votre auditoire est faible intellectuellement, parlez simplement et clairement dans la mesure du possible, en utilisant des illustrations et des métaphores. pour faciliter la compréhension. Devant des personnes mieux préparées, votre raisonnement peut être plus complexe.

Si le public est jeune, vous obtiendrez de meilleurs résultats si vous parlez de projets, d'avenir, si vous agitez des propositions liées à demain. En revanche, si le public est composé de personnes plus âgées, vos chances de gagner seront augmentées si vous développez le raisonnement et l'argumentation basée sur des informations passées.

Regardez bien l'expérience et les connaissances du public. Si vos auditeurs connaissent le sujet, creusez et utilisez tout ce que vous savez sur le matériel. S'ils sont profanes, marchez à la surface et donnez des explications basiques et élémentaires.

En plus d'identifier les caractéristiques prédominantes du public, sachez également quelles sont les aspirations du groupe qui l'entendra. Que veulent les gens ? Voulez-vous de l'argent, de la sécurité, du prestige, de la notoriété sociale, de l'harmonie familiale, du pouvoir ? L'échec frappera à votre porte si, par exemple, vous offrez de l'argent et de la rentabilité à des individus uniquement intéressés par la sécurité. Il peut également échouer s'il ne promet que la sécurité aux auditeurs qui recherchent la rentabilité.

Comment peux-tu ne pas combinez les mouvements du jeu avec l'adversaire, changez de tactique en fonction de l'avancement du match. Donc, après avoir bien étudié tous ces aspects des auditeurs, soyez à l'affût pour voir si vos prédictions sur les caractéristiques et les intérêts des gens sont correctes.

Si vous vous rendez compte que certaines données ne correspondent pas à la réalité, changez de schéma, faites les adaptations nécessaire jusqu'à ce que le message et la manière de le présenter soient en phase avec le public. Alors, oui, vous pouvez célébrer la victoire et partir pour le câlin.

A LIRE EN MOINS D'UNE MINUTE

- Obtenez toutes les informations que vous pouvez sur les auditeurs. Vous pouvez collecter ces données à l'avance ou peu de temps avant la présentation, en demandant à l'organisateur de l'événement.

- Planifiez votre présentations selon le public. Si le public est majoritairement jeune, parlez de l'avenir, des projets, des défis. Si vous êtes majoritairement âgé, parlez du passé, des expériences que vous avez pu avoir.

- Ne traitez pas les questions en profondeur si les auditeurs sont nouveaux sur le sujet. De même, n'abordez pas le sujet à la légère si le public est composé d'experts.

- Parfois, il est nécessaire de faire des adaptations en fonction des réactions et des caractéristiques imprévues des auditeurs. Même si une présentation est bien planifiée, vous devrez presque toujours apporter des modifications au plan initial.

25

BRUITS QUI TUE

LA COMMUNICATION

Afin de réussir votre communication et de tirer le meilleur parti des 29 minutes que vous devez préparer, il est important que vous supprimiez certains vices qui agissent comme des bruits indésirables. Comment être conscient de ces addictions aide à les réduire, ça vaut le coup de savoir Quels sont-ils.

Les plus connus sont "hein ?", "d'accord ?", "d'accord ?", "d'accord ?" à la fin des phrases; il y a aussi les « ããããã », « éééééé » dans les pauses ; les désagréables « bien », « bien », « ooooo » au début des discours et des conférences ; et le « alors » démocratique qui ne choisit pas de place et apparaît à divers moments des présentations, du début à la fin.

J'ai mentionné cette relation pour n'en citer que les plus courantes. puis-je ajouter une bonne dizaine d'autres addictions qui nuisent au résultat de vos présentations et peuvent même constituer des freins à la performance et au développement de votre carrière. Restez à l'écoute, car une nouvelle dépendance apparaît toujours et se propage immédiatement comme une épidémie.

L'histoire suivante est curieuse. J'ai participé une fois à l'événement « Jornada de Comunicação », à Olinda, Pernambuco. J'ai donné une conférence sur la communication oralement le matin. Mon ami Pasquale Cipro Neto s'est occupé de la communication écrite dans l'après-midi.

Pendant le déjeuner, Pasquale a attiré mon attention sur un fait curieux : « Polito , as-tu remarqué que les gens de cette région n'utilisent pas le ' gérondisme ' ? J'ai commencé à prêter plus d'attention aux conversations et j'ai été impressionné. il avait raison, le gérondisme n'était pas arrivé dans ces parages.

Huit mois plus tard, la même institution qui avait favorisé ce voyage m'a invité à donner deux cours inauguraux à la faculté de communication. Pendant les deux jours où j'ai erré dans cette ville de rêve, j'ai pu socialiser et parler un peu plus avec les étudiants, non seulement ceux en communication, mais aussi ceux en droit et dans d'autres domaines.

Tristesse. Le fléau du gérondisme avait déjà infecté les enfants. Le temps J'ai entendu « je vais l'envoyer », « je vais le faire ». Cela ressemblait à un processus d'imitation, comme si parler ainsi attribuait aux étudiants une sorte de statut de modernité.

Bien que cela ressemble à une lutte difficile, je n'abandonne pas. Pendant mes cours, je corrige constamment les élèves. J'obtiens de bons résultats en leur envoyant de petites notes pour observer cette forme désagréable. de communication dans les vidéos dans lesquelles leurs présentations sont enregistrées.

Je sais qu'il existe un courant qui défend l'usage du gérondisme comme processus naturel du langage, qui vit et se transforme. Certains demandent même que des arguments grammaticaux soient présentés pour condamner son utilisation. Et ça ne vaut pas la peine de dire que c'est « moche » ou « inélégant ».

D'autres accusent ceux qui critiquent gérondisme . Je n'aime pas. Quelles que soient les explications, résultant de préjugés ou non, le risque que vous soyez blessé en utilisant le gérondisme est énorme. Il existe des moyens plus appropriés et plus élégants de s'exprimer.

Il faut aussi se méfier de certaines lubies qui s'installent sans ménagement dans la communication. C'est le cas de l'énervant "genre comme ça". Il est encore plus désagréable lorsqu'il est utilisé par les adultes qui veulent paraître plus jeunes.

Mais ces derniers temps un vice nouveau et irritant a fait son apparition : celui de dire « en fait ». Faites attention et voyez combien de personnes utilisent fréquemment cette expression. Certains parviennent à l'insérer dans chaque phrase. En observant avec intérêt l'évolution de cette dépendance, j'ai été impressionné par sa croissance rapide.

Comme le gérondisme , le « en fait » peut aussi être un bruit et même nuire au résultat de la communication de tout professionnel, devenant un obstacle à son épanouissement.

Faites attention à votre façon de vous exprimer. Si vous répétez trop le « en fait », commencez à supprimer cette dépendance de votre communication. Ne laissez cette expression que pour renforcer et rediriger le sens du message.

POUR LIRE EN MOINS D'UNE MINUTE

- Éliminez le gérondisme de votre communication. Il existe des façons plus élégantes de s'exprimer.

- Mettez de côté les " et autres vices à la fin des phrases.

- Combattez aussi l'habitude de dire « uuuuuuuu », « éééééé » dans les pauses. Pour cela, il faut attendre en silence que le mot émerge.

• Évitez trop de « si » et de « en fait ».

• Attention à certaines lubies qui arrivent et s'installent, sans cérémonie, dans la communication. C'est le cas de l'énervant "genre comme ça". Il est encore plus désagréable lorsqu'il est utilisé par des adultes qui utilisent ces appareils pour paraître plus jeunes.

• Il n'est pas interdit d'utiliser « d'accord ? », « d'accord ? », « en fait », « alors » et autres, tant que ce n'est pas exagéré et dans le contexte de la communication.

26

SOYEZ UN

COMMUNICATEUR IRRESISTIBLE

Cela devient incompréhensible. Autant vous cherchez une explication, il est difficile de trouver. Après tout, pourquoi certaines personnes peuvent-elles être si séduisantes en parlant ? C'est une réflexion intéressante, qui ne prend pas beaucoup de temps et qui vous donne un guide pour savoir quoi faire fait une présentation irrésistible.

Eh bien, ils disent que la beauté physique de ceux qui parlent ou parlent en public est essentielle pour être acceptée et admirée par les auditeurs. C'est peut-être une bonne explication, car les plus fortunés par nature disent souvent que le vieil adage "la beauté ne met pas la table" est une excuse pour les gens laids.

Cependant, nombreux sont ceux qui sont loin d'avoir un profil Adonis. et excite toujours tout le monde autour. Par conséquent, nous allons supprimer cet aspect esthétique de la relation, car l'histoire est pleine de personnes qui, même sans le prédicat de la beauté, ont réussi ou réussissent à communiquer.

Si l'apparition d'un idole ou d'un mannequin n'influence pas beaucoup pour réussir dans la communication, peut-être que l'explication de la carrière réussie de certains intervenants réside dans les profondeurs de connaissances qu'ils ont sur le sujet de la présentation.

Ah, maintenant nous avons une raison pertinente ! On sait que la maîtrise du sujet est l'une des conditions fondamentales pour séduire et convaincre d'agir conformément à la proposition de l'orateur.

Cependant, est-ce que le contrôle est suffisant ? Même si nous détestons l'admettre, les gens qui vivent avec nous, surtout dans la vie l'entreprise, dotée d'une faible connaissance de ce dont elle parle, reçoit tout le temps des compliments de ceux qui dirigent l'organisation.

Envie, envie, envie, diront certains. Mais il n'y a pas d'envie dans cette histoire; nous observons ici les faits qui nous entourent. Nous continuerons à chercher les raisons du succès de ces communicateurs.

Ce doit être la voix. Ce ne peut être que la voix. Un un homme, ou une femme, avec une voix mélodieuse, avec un bon timbre et un bon son, est juste un peu loin de toucher le cœur des auditeurs. Après tout, quand ils parlent, ils semblent chanter une belle chanson.

Si c'est vrai, comment expliquer que ces orateurs qui conquièrent les foules parlent avec une voix à des années-lumière de celle de Plácido Domingo ? Vous voulez des exemples ? Il y a des bulles.

Abandonnez la sympathie ou l'aversion qu'il nourrit pour certains politiciens et pense aux millions de voix remportées par certains d'entre eux, propriétaires de voix qui ne sont pas considérées comme belles selon les normes.

Vous devez déjà en avoir déduit qu'une bonne communication n'est pas qu'un ingrédient, mais la combinaison d'une série de facteurs qui aident à impliquer et à convaincre les gens.

Malheureusement il n'est pas possible de porter la cape du mage Merlin, ajoute des plumes de paon à un chaudron fumant (je refuse de croire que le vieux sorcier, avec ce visage bon enfant de grand-père, utilisait des ongles de vautour) et se transforme comme par magie en un parfait orateur, aux performances exemplaires.

Afin de développer une excellente communication, en plus de certains de ces facteurs que nous venons d'analyser, il faut en considérer plusieurs autres qui sont associés et se complètent. Et pour établir cette combinaison, vous aurez besoin de dévouement, d'engagement et de détermination.

La bonne nouvelle est que tout le monde, sans exception, quel que soit le niveau de communication dont il dispose aujourd'hui et le type de difficulté qu'il rencontre pour s'exprimer devant les gens, pourra bien s'exprimer s'il est disposé à poursuivre cet objectif.

Votre voix n'a pas besoin d'être jolie, mais il doit avoir de la personnalité, pour passer la crédibilité. Utilisez un volume adapté à la pièce afin que tout le monde puisse vous entendre sans difficulté. Imprimez un rythme agréable, alternant la vitesse de la parole et le volume de la voix.

Debout ou assis, maintenez une posture correcte, élégante et non affectée. Geste dans la juste mesure, sans excès. Le visage doit être expressif, pour compléter le message et faire preuve de cohérence avec le sens des mots.

Développez un vocabulaire large qui transmet facilement vos idées. Évitez d'utiliser des expressions vulgaires et éliminez les vices qui tronquent la pensée, comme les fameux « ça va ? », « ça va ? », « ça va ? », dont nous avons déjà parlé dans le chapitre précédent.

Choisissez un sujet que vous maîtrisez et qui suscite l'intérêt des auditeurs. Lumière compte des attentes des personnes et des caractéristiques du groupe. Évaluez en particulier le niveau culturel, la connaissance du sujet par les auditeurs et la tranche d'âge prédominante.

Commandez l'exposition avec début, préparation, développement et conclusion. Dans l'intro, conquérir le public ; en préparation, expliquez ce que vous allez présenter ; en développement, transmettre le message, et en conclusion, Demandez aux auditeurs de réfléchir ou d'agir.

Et sois gentil. Si vous vous présentez avec sympathie, votre image sera positive pour les auditeurs. Parfois, les gens peuvent même oublier le message, mais ils se souviendront pour toujours de la gentillesse de l'orateur.

Si vous savez tirer parti de tous ces aspects de manière harmonieuse et équilibrée, vous serez sur la bonne voie pour réussir. Voyez ça de Sous une forme ou une autre, ces concepts, parce qu'ils sont si importants, sont répétés dans la plupart des chapitres. Rien de nouveau; il suffit d'un peu de bonne volonté, d'observation et d'une pointe d'audace. Des ingrédients qui n'enlèveront rien à ses 29 minutes de préparation.

A LIRE EN MOINS D'UNE MINUTE

- Combinez différents aspects de la communication pour réussir. Est important harmonie entre la voix, le vocabulaire, l'expression corporelle, le contenu et l'organisation du raisonnement.

- Votre voix doit avoir de la personnalité, même si elle n'est pas très jolie. Parlez à un bon volume, prononcez bien les mots et gardez un rythme agréable, en alternant le volume de la voix et la vitesse d'élocution.

- Avoir un large vocabulaire, pour donner la fluidité de la parole. Évitez les grossièretés, l'argot et des vices comme "d'accord?" et "hein?". Ne vous inquiétez pas de parler en termes inhabituels. Réservez le verbiage technique uniquement pour parler avec ceux qui travaillent dans la même activité.

- Essayez de faire des gestes modérés. Rappelez-vous que le manque vaut mieux que l'excès.

- Soyez amical et gardez votre visage expressif. Si le moment le permet, souriez.

27

COMMENT GAGNER DES AUDITEURS

Saviez-vous que si les gens ne prêtent pas attention à vos paroles, c'est probablement de votre faute ? A une ou deux exceptions près, il n'y a pas d'auditeur désintéressé, mais un orateur inintéressant.

« Je comprends, Polito . J'ai besoin d'être intéressant pour attirer l'attention et garder les auditeurs concentrés. Mais comment dois-je agir et par où commencer ? Pour répondre à cette question, analysons les techniques utilisées par les vendeurs de rue.

En général, ce sont des gens peu ou pas scolarisés, qui passent la journée à essayer de réunir des groupes de curieux pour leur vendre ce qu'ils ont sous la main. Vous verrez que mes prochaines suggestions ont déjà été mentionnées. dans différentes parties de ce livre. Il s'agira simplement d'une nouvelle approche, afin que vous puissiez les examiner et mieux les comprendre.

Pour améliorer votre communication verbale, vous devez apprendre un peu de chacun de ces guerriers du quotidien, qui utilisent ce qu'ils savent faire de mieux pour monter un spectacle et ainsi atteindre leurs objectifs.

C'est le spectacle qui rend le contenu attrayant. Si tu s'il ne se soucie que du contenu du message, s'imaginant que cet ingrédient seul séduira les auditeurs, il se trompe. Regardez les intervenants qui vivent avec l'ordre du jour pris. Tout le monde monte sur scène prêt à commander un vrai show. Ils provoquent des rires, tirent des larmes, attisent l'émotion des auditeurs, font tout pour empêcher le public de se désintéresser ou de tomber dans l'apathie.

C'est aussi ainsi que les marchands ambulants effectuent leur travail. Ils doivent attirer l'attention des gens et les inciter à acheter les biens qu'ils vendent. S'ils ne se préoccupaient que de mettre en valeur les qualités des produits, ils rentreraient peut-être les mains vides. C'est une question de survie : soit ils vendent et garantissent l'argent dont ils ont besoin pour subvenir aux besoins de leur famille, soit ils finissent la journée sans même avoir rien à manger. Nous avons beaucoup à apprendre de ces héros de la rue.

Une fois, j'ai participé à un article sur TV Cultura sur l'activité des vendeurs de rue. Agissant en tant que reporter, je suis allé dans le vieux centre de São Paulo pour les interviewer et essayer d'en savoir un peu plus sur leurs stratégies de communication. J'ai été surpris et très impressionné par leur connaissance de l'art de parler!

L'un d'eux m'a raconté la tactique qu'il utilise pour attirer l'attention des gens, qui sont toujours pressés. Il utilise la force de sa voix pour prononcer des phrases percutantes. De cette façon, les passants deviennent curieux et s'arrêtent pour voir ce qui se passe. C'est une excellente fonctionnalité que nous introduisons dans notre émission. Surtout dans les cas où les auditeurs sont dispersés, inconscients Et hors; quelques phrases contenant des informations percutantes peuvent les rendre curieux et intéressés par ce que nous avons à dire.

Le deuxième vendeur de rue que j'ai interviewé m'a dit que sa plus grande préoccupation était le comportement et les réactions des gens. Dès que j'ai remarqué les premiers signes d' inattention - par exemple, s'ils ont commencé à regarder le sol ou sur les côtés, en bougeant beaucoup la tête ou changeant fréquemment de support corporel, tantôt sur une jambe, tantôt sur l'autre -, il était temps de raconter une histoire curieuse et stimulante, de ramener la pensée. Il m'a confié que rien ne pouvait être pire que de perdre l'attention des auditeurs. Alors si l'histoire ne fonctionnait pas, il n'hésitait pas à utiliser son arme secrète : il mettait Catarina dans le cercle. Catarina était un énorme serpent, qui avaient été entraînés à fumer. Il n'y avait pas d'autre moyen : personne ne reculait pendant que Catarina soufflait.

Ne vous y trompez pas : quelle que soit la qualité de votre message, après un certain temps - quelques minutes - l'auditeur crée un centre d'attention accro et, involontairement, a du mal à rester concentré sur vos mots. Une histoire courte et captivante, quand le public commence à perdre son attention, c'est la clé pour qu'il se recentre sur votre message.

Enfin, découverte la plus surprenante : le troisième marchand ambulant que j'ai interrogé m'a révélé qu'après avoir appliqué toute cette stratégie – raconter des histoires drôles, faire rire ou pleurer –, il a introduit les services de « agá » dans les tranchées adverses. L' « agá » se fait complice du marchand ambulant. Il reste au milieu des gens comme s'il s'agissait d'un intéressé de plus parmi tant d'autres. Au bon moment, il prend hardiment l'initiative d'acheter le produit au marchand ambulant.

J'ai demandé si cette attitude ne pouvait pas être considérée comme une sorte de tricherie. Il n'a pas semblé offensé et a répondu tout naturellement : « N'oubliez pas que nous sommes dans une véritable zone de guerre et que je dois gagner cette bataille. bataille. Je crois qu'un ' agazinho ' bien planté ne fait de mal à personne. C'est juste un appât pour garantir le lait des enfants.

Peut-être devez-vous être de plus en plus audacieux dans certaines circonstances pour explorer tout votre potentiel de communication. Mettez en pratique ce que vous savez faire de mieux. Dans certains cas, parler un peu plus fort ou plus vite, travailler davantage le visage l'expressivité ou investir dans des pauses plus significatives peut devenir la clé pour rendre votre communication plus engageante.

Veillez toujours à contextualiser et à rendre cohérents ces changements de comportement, afin qu'ils intègrent l'ensemble de l'exposition de manière harmonieuse et naturelle et contribuent à la réussite de vos présentations.

Peu importe à quel point ils sont bien préparés. auditeurs et peu importe la taille du public, vous ne pouvez jamais manquer de montrer une sorte de spectacle. Après tout, les auditeurs sont des êtres humains et, en tant que tels, apprécient de recevoir le message d'une manière attrayante et stimulante. Ainsi, vous devez utiliser tout ce qui est en votre pouvoir pour monter votre spectacle. Il doit apprendre à être captivant comme un bon marchand ambulant. En supprimant les exagérations et en gardant les justes proportions, c'est une bonne proposition pour que vous réussissiez dans la communication. Pas de nouvelle technique ; juste une petite réflexion pour savoir comment agir dans les 29 petites minutes qu'il vous reste à préparer.

A LIRE EN MOINS D'UNE MINUTE

- Utilisez les mêmes compétences en public qui vous rendent intéressant devant vos amis. Regardez comment les vendeurs de rue agissent pour rassembler tous ces gens autour d'eux et vendre les produits qu'ils veulent.

- Perfectionnez ce que vous savez déjà pour monter un spectacle encore meilleur. Peut-être que certaines compétences sont en sommeil, attendant une occasion d'être utilisées et améliorées.

- Soyez audacieux et n'ayez pas peur de rendre votre présentation légère et attrayante. Ce test doit être fait dans des environnements qui ne présentent pas autant de risques, comme dans la relation avec les amis et la famille. Si cela fonctionne dans ces espaces plus intimes et informels, cela fonctionnera probablement aussi devant le public.

- Les histoires, les blagues et les imitations sont des compétences qui peuvent être développées et améliorées par l'étude, l'expérience et le dévouement.

28

LES EXPRESSIONS MAGIQUES

AIDENT À CONCLURE

Comme nous approchons déjà de la fin du livre, il est probable que ses 29 minutes soient presque épuisées. Alors, si vous n'avez pas le temps de tout lire, passez directement aux trois derniers paragraphes ou au résumé à la fin de ce chapitre. puis calmement et plus, lisez le texte en entier.

De nombreux orateurs terminent leurs présentations par un vide et pince-sans-rire « C'est ce que j'avais à dire ; merci beaucoup". Ainsi, ils perdent l'occasion de tirer une conclusion puissante, qui amène les auditeurs à réfléchir ou à agir conformément à l'objectif du message.

Il y a des cas où ils finissent même bien, avec un message adéquat à la conclusion, mais, par le ton de la voix, démontrer que la parole doit avoir une continuité. Ou bien ils libèrent une des perles typiques de ceux qui n'ont plus rien à dire, comme « et je ferme parce que je n'ai plus rien à ajouter ».

Dans certaines circonstances – rarissimes, notons-le – l'utilisation de ces phrases à la fin du discours peut être appropriée au contexte de la présentation. Si, par exemple, dans la conclusion, l'orateur souhaite affirmer que la position prise est définitive et décisive, ces déclarations finales peuvent démontrer votre conviction que rien de plus n'a besoin d'être ajouté.

En général, cependant, la conclusion doit être forte et couronner la qualité de la présentation. Si une conclusion bien ficelée ne sauve pas une mauvaise présentation, ce qui est certain, c'est qu'une fin correcte valorise grandement un bon discours.

Quelques façons Suggestions pour conclure le discours :

- susciter la réflexion ;
- utiliser une citation ou une phrase poétique ;
- demander une action ;
- félicitez sincèrement les auditeurs;
- apprécier un fait humoristique ;
- provoquer le ravissement.

Vous choisirez la conclusion la plus appropriée pour chaque type de présentation, en tenant toujours compte de l'objectif d'amener les auditeurs à l'action ou à la réflexion. Bien que vous puissiez profiter d'informations nées dans l'environnement de la conférence ou dans le contexte du message, veillez à préparer à l'avance et avec beaucoup de soin ce que vous comptez dire à la fin.

Lorsque vous avez terminé la présentation et que vous pouvez dire d'après le ton de la voix que la conclusion était incohérente, utilisez des expressions magiques pour conclure, comme "comme ça étant", "de cette façon", "avec ceci", "donc", "j'espère que...". Vous constaterez que ces ressources vous guideront naturellement vers une bonne conclusion, avec juste le ton de voix et un message pour conclure.

Et si vous n'y arrivez pas très bien, ne révélez jamais votre mécontentement au public.

A LIRE EN MOINS D'UNE MINUTE

- Utilisez le ton de la voix pour montrer que vous avez terminé. Pour finir, vous pouvez augmenter le volume de la voix et la vitesse de la parole ou, au contraire, ce qui est encore plus courant, diminuer le volume de la voix et la vitesse de la parole.

- Évitez de conclure avec des expressions fatiguées comme « c'est ce que j'avais à dire ». Ce sont des phrases vides et incohérentes qui enlèvent l'éclat de la présentation.

- Si vous sentez une incohérence lors de la fermeture, utilisez ces mots et expressions qui conduisent naturellement à la conclusion : « ainsi », « j'espère que... », « de cette façon », « avec ceci », « donc ».

- En terminant, utilisez un ou plusieurs de ces moyens : inciter à la réflexion, utiliser une citation ou une phrase poétique, appeler à l'action, féliciter sincèrement les auditeurs, utiliser un fait humoristique, provoquer le ravissement.

- Oh, et même si ça ne s'est pas très bien passé, ne donnez rien à la fin son mécontentement au public.

29

ÉVITEZ LES RISQUES ET AMÉLIORER VOS PRÉSENTATIONS

Mon père était un excellent chauffeur. J'ai appris beaucoup de lui. L'une des choses qu'il m'a apprises, c'est que lorsque je conduis la nuit sur une route à voie unique et que je croise un autre véhicule, je ne dois pas regarder droit devant les phares, mais dans la voie. diviseur, parce que de cette façon, je n'aurais pas de déficience visuelle. Une merveilleuse astuce !

Un autre très bon conseil que j'ai reçu de lui : « Ne vous contentez pas de regarder les trois ou quatre véhicules devant vous ; faites attention aussi loin que vos yeux peuvent atteindre. Donc, si vous remarquez que les feux stop des voitures qui se trouvent à des centaines de mètres devant vous se sont allumés, ralentissez, car vous devrez s'arrêter en un rien de temps. Sans aucun doute, un pourboire note 10 !

Ces conseils m'ont beaucoup aidé, non seulement dans la conduite, mais aussi dans l'amélioration de la communication, car je les ai adaptés comme de bonnes règles dans l'art de parler en public. Il est impressionnant de constater à quel point des situations aussi différentes peuvent avoir des points communs et s'avérer utiles dans les circonstances les plus diverses.

En plus d'utiliser ces précieux conseils pour mener votre voiture sur les routes, vous saurez parfaitement les adapter pour réussir vos propositions, que ce soit dans des présentations internes ou dans des contacts avec des professionnels d'autres organisations, tels que des clients et des fournisseurs.

En 29 minutes, voyez comment les bons résultats d'une présentation dépendent beaucoup du soin apporté au moment de la préparation.

En général, les gens s'inquiètent de mettre en place une bonne ligne d'arguments lorsqu'ils doivent faire des présentations. Ils choisissent avec soin les bonnes subventions, telles que les statistiques, la recherche, les exemples, les études techniques et scientifiques, les thèses soutenues et approuvées devant des commissions d'évaluation renommées. Enfin, ils préparent le meilleur arsenal pour la bataille.

Presque toujours, cependant, ils oublient d'observer ce que mon père m'a appris : ils regardent les phares des véhicules venant en sens inverse et n'évaluent pas les mouvements qui se produisent plus loin, et qui, tôt ou tard, auront des conséquences.

Pour que vos présentations soient réussies, prenez ces deux précautions élémentaires et très importantes : n'établissez pas de confrontations inutiles avec les auditeurs et évaluez la résistance que vous aurez devant. Ce sont des précautions simples, mais elles ne peuvent être négligées.

Alors, si vous remarquez que l'un des auditeurs est contrarié – le véhicule venant vers vous avec ses phares allumés –, n'essayez pas de vous battre avec lui à ce moment-là. Ce n'est pas le moment de se battre. Ne rencontrez pas le regard adverse ; regardez-le rapidement et faites attention au reste du public. En agissant ainsi, vous ne vous asservirez pas à une personne, essayer de lui faire changer son comportement de résistance, et vous ne courrez pas non plus le risque de ne pas prêter attention à vos autres auditeurs, qui s'attendront sans doute à ce que vous les considériez comme regardant dans leur direction également.

Mais attention à ne pas simplement fixer l'auditeur qui est amical. En raison de l'insécurité naturelle de la prise de parole en public, nous nous tournons généralement vers ceux qui nous donnent des commentaires positifs, en balançant tête par l'affirmative. Dans ce cas également, nous devons continuer à regarder tout le monde dans le public.

Et toujours dans le cadre de la réflexion sur la confrontation avec les auditeurs, rappelons juste : avant de dire quelle est votre opinion sur un sujet qui va à l'encontre de la façon de penser d'au moins une partie du groupe, la tactique est de commencer à toucher les points communs , jusqu'à ce que ces auditeurs se désarment.

Et regardez la route à venir? Toujours être prudent. Vous ne devriez pas être surpris par des objections prévisibles. Si vous pouvez prévoir que vous rencontrerez des résistances concernant les coûts, les délais de livraison, les limitations de la structure technique, etc., demandez de l'aide. Discutez avec vos compagnons des problèmes que vous pourriez rencontrer et des meilleures solutions pour chaque cas.

Être préparé, quand on est mis au défi vous aurez la bonne réponse pour le moment. Vous entendrez l'argumentation adverse plus calmement, plus sereinement, et vous défendrez votre thèse avec confiance et plus de chances de gagner. De plus, sachant qu'il y aura de la résistance, vous pourrez progressivement saper l'objection, facilitant ainsi votre travail de défense.

Voyez comme c'est intéressant: quelqu'un ne pouvait réfuter qu'après les objections ont été exposés. Dans ce cas cependant, après avoir étudié au préalable les positions opposées, et sachant que des objections ne manqueront pas de se présenter, il sera possible d'affaiblir les résistances dès le départ.

En fait, avec ce soin pris de neutraliser les défenses dès le début de la présentation, les objections peuvent même ne pas se manifester. Cette procédure pourrait également empêcher la résistance émotionnelles, qui surgissent lorsque, après avoir exprimé leur mécontentement, les gens défendent des positions, qu'elles aient ou non raison.

Comme vous ne pourrez pas combiner les mouvements du jeu avec l'adversaire, changez de tactique en fonction de l'avancement du match. Alors, après avoir bien étudié tous ces aspects concernant les auditeurs, soyez à l'affût pour voir si les prédictions que vous fait sur le comportement et les désirs des gens sont corrects.

Si vous vous rendez compte que certaines données ne correspondent pas à l'image que vous avez devant vous, modifiez le parcours afin de répondre à la nouvelle réalité et de rétablir l'harmonie avec le public.

Oufa ! Si vous n'étudiez que ce qui était immédiatement pertinent, nous sommes à moins de 29 minutes. Puis, calmement et plus de temps, lisez tout encore.

A LIRE EN MOINS D'UNE MINUTE

- Ne vous contentez pas de regarder dans la direction de l'auditeur résistant. Distribuez le contact visuel à tout le monde.

- Ne vous contentez pas non plus de regarder dans la direction de l'auditeur amical. En raison de l'insécurité naturelle de la prise de parole en public, nous nous asservissons généralement à ceux qui nous donnent des commentaires positifs, oscillant dans l'affirmative. la tête. Dans ce cas également, nous devons continuer à regarder tout le monde dans le public.

- Évaluez à l'avance les objections auxquelles vous pourriez être confronté et préparez la réfutation appropriée. Une bonne façon d'anticiper les objections est de discuter avec le groupe de travail des résistances qui pourraient être rencontrées. Par la suite, discutez avec vos compagnons de la meilleure solution pour chaque type d'objection.

Don't miss out!

Visit the website below and you can sign up to receive emails whenever Jensen Cox publishes a new book. There's no charge and no obligation.

https://books2read.com/r/B-A-ZNXX-RCSKC

Also by Jensen Cox

Historia Americana: ¡Circunstancias históricas, personas importantes, sitios importantes y más!
Investing in Cryptocurrencies: The Fastest Strategies for Becoming a Crypto Millionaire
Criptomonedas: invierta sabiamente en las criptomonedas más rentables y confiables para ganar dinero
Cryptocurrencies: Invest Wisely in the Most Profitable and Trusted Cryptocurrencies to Make Money
Invertir en Criptomonedas: Las estrategias más rápidas para convertirse en un criptomillonario
The Armed Nation: American Culture and Guns at the Core
Y Genedl Arfog: Diwylliant Americanaidd a Gynnau wrth y Craidd
President Ronald Reagan: The President who Changed American Politics
Trump: A President's Life Against all Odds
The United States: Nation that Needs to be Rebuilt Itself, Joe Biden, and Kamala Harris
Dragon's Head: New China's Aspirations and Identity
The Decline of the West
Today's China: Why it is Crucial to Know How Dragons Think
Presidente Ronald Reagan: El presidente que cambió la política estadounidense
Trump: La vida de un presidente contra viento y marea
Cold War II
La decadencia de Occidente

The USA: A Journey to Rediscover a Country
Ukraine: Criticism of International Politics
Guide to Flawless Budgeting: Get Out of Debt and Learn How to Save on a Budget
The Great Forgotten: The Erasure of Women in History
29 capítulos para hablar bien en público y hablar con confianza
29 chapitres pour bien parler en public et parler avec confiance
29 Chapters for Public Speaking and Talk with Confidence
29 Kapitel für gutes öffentliches Reden und selbstbewusstes Sprechen

Ingram Content Group UK Ltd.
Milton Keynes UK
UKHW020734030723
424469UK00016B/671